尼人

AMAJIN

Matsuda Osamu

松田修

イースト・プレス

奴隷の椅子

僕が生まれ故郷である兵庫県尼崎市、通称「尼《アマ》」を飛び出して東京へ行き、なんやかんやあって芸術を志して約20年。初個展が始まりだとして芸術家人生10年目。新型コロナがやってきた。

そして、僕は2020年のコロナ禍で、《奴隷の椅子》を制作した。この作品は当時僕が行った、僕の母親、「おかん」へのインタビューをもとにしている。だから作品を鑑賞すれば、尼からほとんど出たことのないおかんが、今までどういう人生を送ってきたのか、よくわかる内容になっている。

その話を書く前にまず、《奴隷の椅子》のビデオ内でも語られている、おかんが今現在僕をどう思っているか、どう認識しているかを書いておこう。それは一言で言うとずばり、「詐欺師」なのである。おかんは僕が東京で、本当に詐欺を働いていると思っている。

最大の要因は、尼の僕ら家族周辺に、いわゆる「阪尼《ハンアマ》」と呼ばれる阪神出屋敷駅周辺に、「芸術」に触れる機会がほとんどないってことだと思う。精神的にも経済的にもそん

《奴隷の椅子》2020年／ビデオと椅子のインスタレーション
「薄切りハムを家族で一枚ずつ分け合った」、「人生を選べなかった」、「わからへんやろうなぁ」などと女性（写真内のキャプチャーは20才のおかん）が自分の人生を振り返るように語るビデオと、実際に30年近く使われていた「スナック太平洋」の椅子により構成。
写真＝森田兼次

な余裕がない。まあ、自分たちには「なんぼにもならへん」、関係ないことって思っている人がほとんどの地域だ。なんなら、僕の一族で「アート」って言葉を口から発したのは僕だけかもしれないし、さらに言えば、「現代アート」「現代美術」なんて阪尼のあのへんで最初に口から発したのは僕なんじゃないかと思えるほど、芸術に縁のないのが僕の地元だ。

それでも、僕は一応諦めずにおかんへ説明し続けてきた。その説明がこじれた先に、「詐欺師」がある。しかし、この本はそんなおかんへ、僕が詐欺師ではなく芸術家であることをもう一度説明する本であったりもするのだ。

２０１５年ごろだろうか。おかんから、よくある電話のなかで、よくある問いが飛んできた。

「あんた、東京で何やって暮らしとんの」

「今は障がい者介助のバイトと……、あと芸術！　芸術やってんのや！」

いじられるのにもめげず、僕は毎回そう答えてきた。大学へ行ったことを含めて、中身を詳細に語る機会はそんなになかったかもしれない。どうせわかってくれないの態度をいつも全開にしていたかもしれない。けれど、「何をしているか」のおかんの質問に対して僕は毎回、「芸術をやっている」と答えてきた。

「ゲイジュツぅ〜？　なんやそれぇ〜？」

それに対するおかんの応答はたいてい、これで終わり。しかしこのときはめずらしく、

「代表作品みたいなもんはあるんか～？」くらいまで話が進んだ。おかんはこの時点で僕をいじるというか、茶化しているだけ。芸術にまったく興味がない、身も心もアマガサ菌にヤラれている、どこに出しても恥ずかしくない尼人だから。

「《インケイ先生の憂鬱》っていう、おもちゃも買えない貧乏人が自分のちんちんで遊ぶような感覚で作った……ビデオ作品があってな」

「なんやそれ。アホみたいやんけ」

「ちんちんが上から目線で人類の差別のことを嘆くねん。手ぇつこうて、パクパク尿道口を動かすねん。しゃべるのや。全部で1分くらいのビデオやで」

嘘はついてない。このころの僕の「代表作」は本当にこれだ。

「……おかあさんようわからへんわ。なんなんそれ。ただの変態やんか。お金にならへんやろ。そんなもん」

「全部で40万円くらいになってるで。今のとこ」

「うそやろ！　よ、よんじゅう……。さ、詐欺やんけ！　そんなんはしたらあかん！」

この会話が、おかんの、僕に対する最初の詐欺師認定だったと思う。

この後しばらくして尼崎の実家に帰ったときには、昔から知っているオッチャンから
「おさむちゃん、東京でウマいことやってるらしいやん。オッチャンもな、ちんちんパク

パクさせんのうまいんやで。ウマい話があったらオッチャンもかませてな」なんて逆スカウトをくらうはめになってしまった。そのくらいおかんも近所でしゃべりまくっているからメンドクサイ。それでも僕は「まあええか」くらいに思い、呑気に構えていた。

それからさらに1年くらい経ったころ、たまたま用事があって東京に来ていたおかんを、初個展から僕をサポートしてくれているギャラリーである「無人島プロダクション」へ、僕は「世話になっているから挨拶に行こう」と誘った。すると、「怖いから行きとうないわ。あんたもええ年やし、もう詐欺をやめろとは言わん。けどせめてな、せめて、顔を出さないでええような……、その会社の社員にしてもらいなさい」。そう言っておかんはいぶかしむことこの上なしの様子を見せた。僕への、詐欺師の妄想が時間によって深化していた。

僕は最初、おかんが何を言っているのかわからなかったが、理解して爆笑した。まあ、「無人島『プロダクション』」という名前も、おかんにはヤクザみたいな怪しい会社に思えたのかもしれない。さらに詳しく聞いてみると、おかんは「無人島プロダクション」は詐欺の会社で、僕はそこで、オレオレ詐欺でいうところの「出し子」のような、顔をさらす、リスクのある役割を担っていると、完全に思い込んでいた。違うと説明したが、今でも誤解はとけていない。この日も最後まで、「あんたが社員にしてもらえるんやったら、挨拶に行く。じゃなかったら行かへん!」と譲らなかった。

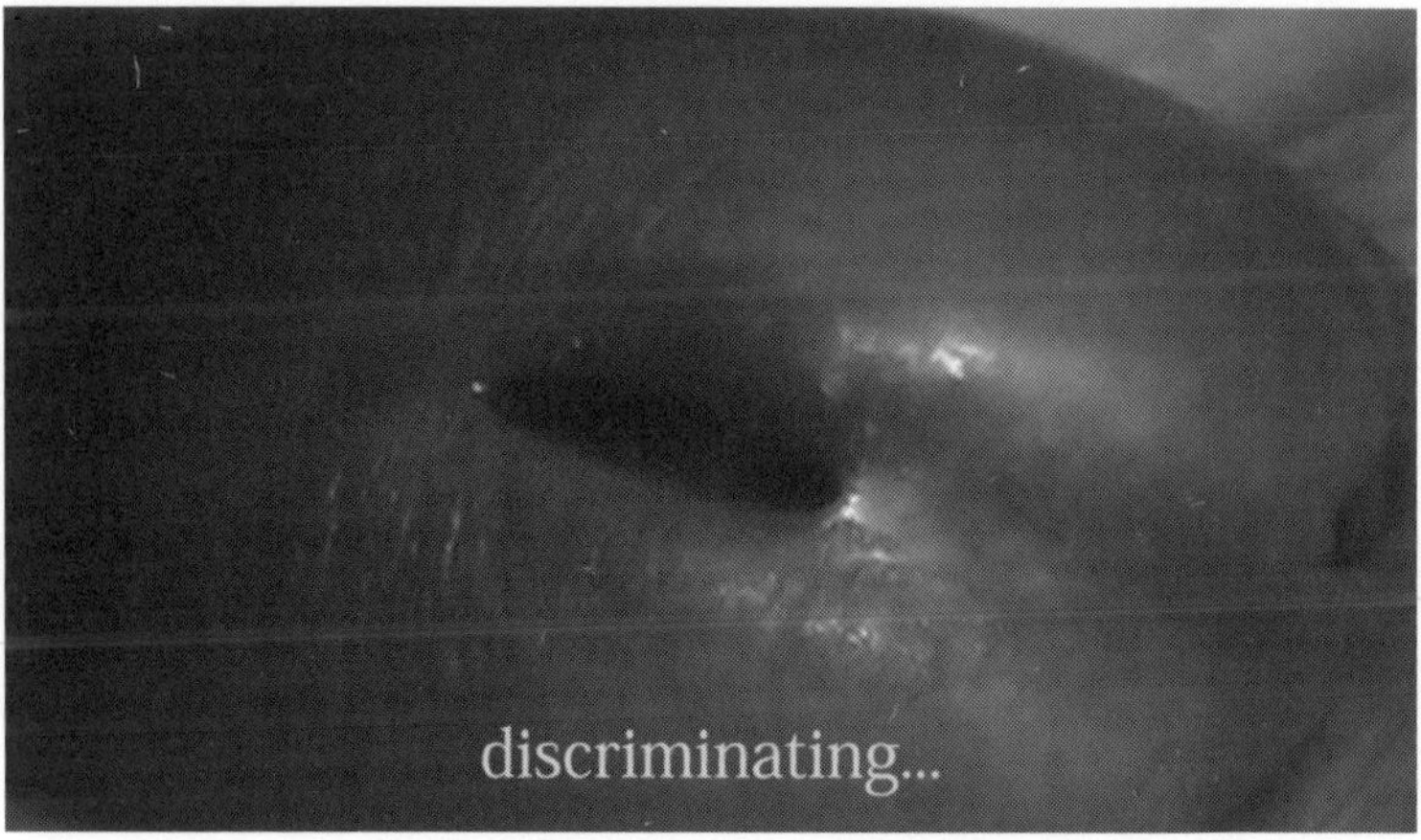

《インケイ先生の憂鬱》2009年／ビデオ
おかんが松田を詐欺師認定することになった記念すべき作品。

後日、「無人島」のオーナーである藤城里香さんには、オモロい話として伝えた。「社員としては松田くんは無理！」との、受けてもいない入社試験不合格通知ももらった。

しかし、僕はおかんの言い分は鋭いとも思っていて、芸術は、よくわからないものを説明しまくって価値づけするところがあるから、構造としては詐欺師に近い部分が確かにある。由緒正しくない、放っておいたらゴミ同然の壺を、あの手この手で御託を並べて高額で売りつけるのと、似ているといえば似ている。チンケな詐欺師がするように身分や名前を隠すのと違い、芸術家は生活や哲学や生き様までさらし、死後は「日記」まで公開されるということがあるのだけれど。まあ、そこのところを踏まえて最近では、「社会に貢献する、良い詐欺師」だとおかんには説明している。

僕の作品、《奴隷の椅子》の話に戻す。2020年の正月を過ぎたくらいのころ。僕は、その年に予定していた個展の内容を構想したり、そのための作品を準備したりしている最中だった。で、この話もおかんからの電話で始まる。

いつもは「放っておいたら一生連絡してこない」、「はの字が読めへんのかと思うくらい母の日になんもしてくれへん」なんていう、僕への愚痴中心の電話内容なのだが、この日は様子が違った。電話に出た最初の、おかんのテンパりすぎた感じを覚えている。

「なんでや……、なんでいつもこうなるねん……、なんも悪いことなんて、なあ、ちょっとしかしてへん。神様のえこひいきが過ぎるんとちゃうか……」。「どうしたの」と尋ねるとまず、「そのＮＨＫみたいなしゃべり、やめぇ！」と、標準語をディスられた。

「めんどくさ！　なんの電話やねん！　おれ今忙しいんやで！」

どこの親もそうかもしれないが、うちのおかんはいつも用もないのに電話をしてくる。しかもこのときはおかんのテンパり具合を心配したのにディスられて、僕はすぐ電話を切る気になった。

「ちょっと切らんで聞ぃてぇえや！　なんかコロコロとかいうかわいい名前の病気が流行って、旅行が中止になってん！」

おかんはいつもキンキンやかましいが、いつもの倍キンキンやかましかった。

うちは、尼にたくさんある貧困問題を抱えた家庭のひとつだ。おかんは若いころからホステスとして働き、僕が中学生になったころには小さなスナックを開店し、必死に立ち回ってくれた。そのおかげでうちは、どうにかやってこれたのだ。ちなみにうちのおばあも、ひいおばあもホステス。しかも三代続けて、華やかさとはほぼ無縁の貧乏ホステス。そのせいか、おかんはほとんど県外へ出たことがない。

そのおかんが、「一生に一度でええから、海外へ行きたい」とあるときからまわりに言いだし、僕や僕の兄弟からの出資、スナックに設置された「募金箱」という名の常連客からのカツアゲを経て、10万円ちょっと、格安ツアーでどこかへ行けるくらいの額が集まった。本人の希望の行先はイタリアだという。２０２０年の2月に、行くことが決まった。

僕はおかんがそれを決めた2019年の秋に尼崎に帰郷した際、不思議に思って尋ねた。

「なんでイタリアやねん。なんで寒い時期に寒いとこ選ぶねん。むこうで風邪ひいたら、金かかるわ寝てるだけだわ、ほんま地獄やで。ハワイでええやん。ハワイにしときや。ダウンタウンの浜ちゃんも、毎年正月ハワイらしいで。どうせイタリアで絵ぇとか見ても、おかん来年には忘れてるで」

「ああ、コイツほんまにアホや」の顔をしていそうなおかんが答える。

「絵とかそんなんはどうでもええねん」

「ほな、何を見に行ったりするのや」

「イケメンに会いに行くのや」

「…………ハァ?」

「イタリアはな、世界一イケメンがたくさんおるらしいで。ほんでな、アモーレで、れでぃファストで女性にめちゃめちゃ優しいねん。タコみたいなブサイクたちを40年相手して、おかあさんもう目が腐りそうやねん。いや、もう腐っとるかもわからん。死ぬ前にイケメンたくさん見て、幸せ~な気持ちになりたいねん」

うっとり妄想するおかんは正直キモかった。

「いやいやレディーファースト言えてへんし。『淑女速い』てなんやねん。そもそもアモーレはイタリア語やけど、レディ……まあ、ええか」

僕はツッコミを途中でやめた。理由はどうであれ、「苦労」しか書いてない辞書を持つおかんが、はしゃいでいるのを見るのが、僕はうれしかった。僕だけでなく、金を出したみんながそう思っていたと思う。態度や言葉だけでなく、おかんが毎日カレンダーにつけているバツの字もはしゃいでいた。イタリアに行く予定の日のところには、どこで買ったのか虹色のペンで「Paradiseへ」と、みみずが千切れたけどまだギリ生きてまっせの筆記体で書かれていた。家族にしか読めない文字だが、楽しみにしている感は地球上すべての人に伝わるレベルだったと思う。そんな海外旅行が、新型コロナのヨーロッパ蔓延で、中止になったのだ。

まわりみんなで止めたが、せっかく取ったパスポートが惜しかったおかんは、「もうなんでもええから日本出るぅ！」と、最後は中国へ行くとか言いだした。だがそれも、申し込もうとした中国のツアーが定員五十人中二人しか集まらず中止になった。

「なんでいつもこうなるねん……」と、おかんは地面にめり込むくらい肩を落としたが、ついに諦めたあとは、いつもどおり話のネタにして、みんなを笑わせた。しかしこのおかんの海外旅行中止事件は、今思えば、新型コロナの序の序、まだ「何も始まっていない」状態だった。

おかんが旅行中止ネタを繰り返し「こすりすぎて」、みんなが飽きてきた2020年春ごろ。ついに日本でも新型コロナ蔓延による緊急事態宣言が発令され、「ステイホーム」

の掛け声のもとに、みんなが家に引きこもった。

そんな状況下で、東京では「夜の街」なんて名指しで繁華街が自治体などから敵視されたが、それは尼崎でも同じだったらしい。自治体だけでなく近所の住民のクレームもあり、こそこそっと続けていたワケあり風俗街、「かんなみ新地」も閉まった。近くにある「三和」地域と呼ばれる商店街もほとんど全部閉まって、人が街に来なくなった。まあ三和市場のほうは元々シャッター街だし、「今がチャンスや」なんてしぶとく続けたパチンコ屋なんかもあったみたいだけど。

こんなことはもちろん尼だけじゃなかったはずだが、国からの助成金うんぬんの話で書けば、「どこどこのヤクザの息子がぁ……、あそこは不法滞在でぇ……、あっちは税金払うてなくてぇ……」と、尼にはのっぴきならない理由で助成が受けられない住民が数多くいることを、尼の歩く地獄耳ことおかんが、聞いてもいないのに教えてくれた。

当の本人も税金支払いはもにょもにょもにょの状態で助成は期待できず。しかしいつもの月収だって15万あるかないかの貧乏人。かせがにゃならぬと店にミシンを持ち込み、「スラムマスク」と、ド直球で笑うしかない名がつけられた、それ何角形やねんといういびつな形の手作りマスクを売るなどして奮闘していたが、やはり限界があった。そもそもおかんの店は、「かんなみ新地」帰りのオッチャンらが相手の商売で、中心がなくなれば人が来なくなるのは仕方がなかった。つまり、自助努力じゃどうにもならんって状況。新型コロナってだけでなく、サメが死ねばコバンザメも死ぬ。そうしておかんの、クソオンボロ小さなスナックは、この世から消滅した。

閉まったおかんの店の名前は、「太平洋」。名前の由来を聞いても、おかんは思い出せないようだったが、毎回お客さんが入ってすぐに店内を見回し、「太平洋ちっちゃ！」とやるのが古くからの習わし、鉄板ギャグだった。

常連しか来ないような店で、室内の壁がめちゃくちゃ汚かった。画家は、たくさんグレーの色幅を描くことができると尊敬されるが、おかんのスナックは、そんな画家でさえ作れないような、経年劣化とタバコのヤニの協働作業からなる、名前がつけられないグレーの壁で構成されていた。壁には一応大きな鏡も張ってはあるが、ホクロみたいなのとくすみで鏡として使う人は皆無。六人、いやがんばって七人で満員。カウンターに三人、奥のテーブルに四人。おかんがいて満員になれば、ここはヒマラヤのチョモランマよりも空気が薄い。

スナック店にはおなじみのカラオケもあるにはあるが、マイクが片方イカれていた。だからデュエット曲だとマイク共有で、みんな仲良くなれるのだとおかんは豪語していた。おまけにスピーカーの位置がテキトーすぎて、マイクをどこに向けてもノイズが出る仕様。一度試しに、マイクを持って外に出たことがあるが、それでもノイズが鳴った。カウンターもテーブルも、見た目からしてすでに役目を終えていて、もしも声を聞くことができたなら、二つ揃って第一声は、「殺してくれ」だろう。床も当然のように傾いていて、ある場所を踏むと「アー」とか「キー」とかおちゃめな声を聞かせてくれる。

まあ、今これを読んでいる人の頭の中にあるスナックを、もう少しだけ汚くした、想像を超えてくるクソオンボロスナックだ。僕が知る限りでは、お客さんもオジィだらけのオンボロで、スナックというより場末の老人ホームだった。「場末」に老人ホームがあるかと言われれば微妙だが、まあとにかく、「太平洋の売り」は、自らキャラづけしたという「マイク・タイソン似のブス」ことおかんのしゃべりのみだった。

そんなだから、喫煙老人が恐れ、密室で蔓延するという新型コロナは、ただでさえ「スナック太平洋」の天敵中の天敵。消毒用アルコールで店をフキフキしたところでなんの意味もない。閉めたのは賢明な判断だったと僕は思うし、あれ以上の八方塞がりを、僕はこれから見ることもないと思う。

「最近常連さんもみんな年をとって死ぬ人も増えたから、みんな死んでまう前に店が逝ってもうて、逆に名残惜しく送ってもろて、店も喜んでるわ」

おかんは「太平洋」を閉める日にそう言って、空元気の見本みたいな顔をして笑った。

子供のころの僕は、酔った知らないオッチャンが、おかんに説教されて泣いたりしている意味わかんない空間、「スナック」が大嫌いだった。いろいろ手伝わされたりもして何かといるはめになったが、常に、気まずかった。なんというか、当時の僕が思う「大人のフケッさ」を敏感に感じる、苦手な空間だった。しかし僕が小学生のころ、まだ「スナック太平洋」が誕生していないころから、学校から帰って「おかんの勤め先」に顔を出すのは我が家の決まりごとだった。まず「その店」に荷物を置き、必要ならそこで宿題をやり、外へ遊びに行くというのが、僕の小学校時代の習慣だ。

そんな感じで、あるとき小学校から帰って店に荷物を置きに行ったら、ドアを開けたその先で、おかんが知らないオッチャンとキスしていたことがあった。生まれて初めて、景色でゲロを吐きそうになった。そのときの僕はまだ「うぶ」どころかその前の段階、「いぶ」くらいの状態。口の中の酸っぱさと、恥ずかしさといつもの百倍の気まずさ、あとは反抗期っていうのも手伝って、僕は怒り散らすしか手がなかった。

「何しとんじゃクソババァ！　誰やねんそのオッサン！　キタねんじゃ帰れクソ！」

おかんたちは瞬間パッと離れ、ゆっくり僕を見た。おかんの素振りは明らかにイラついていて、僕は戸惑った。おかんはそのとき、三十ちょうどくらい。今ならわかるけど、おかんは何も知らない偉そうなクソガキの態度が、気に障ったんだと思う。クソガキを許せないほどには、おかんはまだ若かったのだ。

「イキがんなボケェ！　おかあさん今体張って金をかせいどんじゃカスゥ！　文句あんなら今着てるもん全部脱いで出てけアホォ！」

そのときの僕は、関西人なら挨拶のようなボケカスアホの三段攻撃にビビったわけじゃなくて、来ると思ってない反撃自体に気が動転して、おかんの顔にツバを吐いた。一瞬なんてことをしてしまったんだと自責の念に襲われたが、もう後には引けない。

「死ね！　クソババァー！」とＩＱ３くらいの捨てゼリフを残して、「いぶ」から「うぶ」を通り越して、なんなら「はぶ」になった僕は、逃げ去った。ほとんど僕専用だったが、一家に一台しかない「共用自転車」をとにかく飛ばし、ただ北へ向かった。塚口駅あたりまで行って、塚口にある「さんさんタウン」のゲーセンやらを意味なくぶらぶらし、夜になっても街をぶらつき、朝まで家にも店にも寄りつかなかった。朝こっそり帰った家にはおかんがいなくて、少しほっとして、学校には行かずにそのまま寝た。

次の日から現在まで、おかんと「あの日」についての会話をした記憶はない。おかんは「あの日」、泣いただろうか。僕はあれからずっと後悔している。顔にツバを吐いたのは、明らかに間違いだった。

でも、あのときのおかんより一回り年をとって四十を越えた今でも、あのときどうすればよかったのかはわからない。でも、間違いなく僕、そして弟二人を育てたのは、おかんの「ホステス業」だった。おかんの言うとおり、僕らはおかんが体を張って、金をかせいでくれたから大きくなれた。その結晶が、「スナック太平洋」だった。おかん、ごめんな。ツバを顔に吐いてもうて。「太平洋」もごめんな。いつも気まずい態度とって。「太平洋」がなくなって、おかんは悲しかったと思う。無念だったと思う。僕も悲しかったたし、いまだに喪失感をぬぐえずにいる。

僕はこのスナック太平洋がなくなるまで、自分の芸術人生で、尼ならではの美意識やエピソードを作品の背景にすることはあっても、直接的に作品にすることはなかった。しかし「太平洋」がなくなったとき、僕は「おかん」を、僕が知る尼崎を、これまでより「直接的に」描かなければならないと思った。このことを作品として世に残したいと、残さねばならないと強く感じたのだ。

まず、僕はおかんにインタビュー目的のビデオ撮影を試みた。場所はスナック太平洋「跡地」だった。さすが関西人というか、カメラに臆することなくペラペラ、いやペラペラペラペラペラペラくらいおかんはしゃべってくれた。青線と呼ばれる「かんなみ新地」近くで育ったこと。母（僕にとっては祖母）や友達も水商売をやっていて、自然にホステスになったこと。働かないことが自慢の、最初の夫（僕の父）が大変だったこと。娘が欲しかったのに、三人産んで全員息子だったこと。離婚のこと。家族五人で薄切りハムを分け合った超貧困時代のこと。スナック太平洋のこと。三人産んで将来孤独になるとは思いもしなかったこと。長男が東京で詐欺師、次男が統合失調症、三男のことはシャレにならんからしゃべりたくないってこと。店を閉めること。

「ほんまはなぁ～おかあさん、スチュワーデスになりたかってん。なり方も知らんけど。後悔とかはないけど、ほんまに自分で選んだ人生とちゃうかったわ。酔っぱらって疲れて、よぉ、このソファで寝てたわ」と、おかんはフェイクワニ皮がはがれかけた、オンボロソファを撫でた。あまりにも選択肢がなかった自分の人生を、懐かしむように。少ししんみりした空気になって、僕はそれを避けるように、いつものようにおかんを茶化した。

「ほな、その椅子は奴隷の椅子やんけ」

「アホか！『どれ』す〜きれ『い〜』だね〜『の、椅子』やで！」

別に「ウマく」ないけど、瞬時に切り返したのはさすがだった。その後、作品のタイトルはこのときの「奴隷の椅子」にし、この椅子を作品で使うことを決めた。

作品を仕上げるにあたっては、もう一段階変化があった。当初はとにかく「直接的な『尼のおかん』作品」を目指していたが、「太平洋の椅子」を使うことを決めたあたりから、逆に少し抽象度を上げることを決断した。

いちばん大きい決断でいうと、おかんのインタビュー映像をそのまま使うのをやめた。初老の女性がコテコテの関西弁で話す、限定的な場所の、感動ポルノ作品みたいになるのが嫌だった。おかんのような人は世界中にいる。「太平洋の椅子」のような椅子は世界中にある。そんな気がしてきたし、そんな作品にしなければならないと、僕は考えた。

最終的に、おかんのインタビューの話の内容はそのままに、ハタチくらいという若いころのおかんの写真、僕が中学生のときに尼の住民にボコられたときのおばあの写真、今現在のおかんの写真をすべて3D化し、それぞれが順にしゃべっているようにビデオ編集した。しゃべっている声は僕の裏声を当てた。途中、ビデオは棒人間でもいいかぁと思ったくらい、ビデオを「リアリティー」の中心にするのはやめた。その代わり、スナック太平洋に20年以上あった、「本物の」オンボロソファを作品の一部とし、この「オンボロリアリティー」が際立つ作品にした。この椅子は、センス、来歴ともに「本物」だから。このソファに座りながら、ビデオの「スラムな」女性のストーリーを聞いていくというのが最終的な《奴隷の椅子》という作品だ。

展示搬入のときには、前述の、個展の展覧会場であり、おかんが詐欺会社と信じて疑わない無人島プロダクションの藤城さんから、「ビデオの背後に壁紙を貼るのはどう?」というナイスな提案をもらい、即採用した。そこで僕は、「もしもコロナ収束後にもう1回スナックをやるとしたら、どんな壁紙にしたいと思う?」とおかんに電話で尋ねた。おかんは3日間沈黙の後、「ピンクはやめといたで」っていう謎メッセージとともに壁紙を指定してきた。おかんが選んだのは、「ザ・尼のオバハン」ってセンスのしろもので、見た瞬間大爆笑した。ダサいエンボス加工が施され、紫色の花がこれでもかとちりばめられていた。あれを選べる芸術家は、世界に一人もいないだろう。

ちなみにスナック太平洋のソファは三つで1セットだったのだが、作品では二つになってしまった。僕は「取っといてって言ったやんか」とおかんを責めたが、「常連さんで、思い出に一つ欲しいって人がおってん。おかあさんほんまに欲しい人にあげたかったたんや。それに、あんたのは詐欺やないか」と返され、話が終了した。今では、椅子が一つ尼崎に残り続け、二つが「美術作品」として東京にあるのも、僕は「オモロい」ことだと思っている。

2022年現在。《奴隷の椅子》は、僕の「良い詐欺師」っぷりも功を奏したのか、個展も含めて四度の展示に恵まれ、作品を購入してくれたコレクターが美術館に将来、寄託してくれる話も出ている。そうなると、何百年後にも「スナック太平洋」のソファに座る人がいて、おかんの話を聞く人がいるってことで、芸術家冥利に尽きることだ。子供のころに整頓させられていた、オンボロソファの数奇な運命を考えると、笑ってしまう。そして、僕は芸術にしかできないことを実感する。

現在おかんはというと、大阪にある、オンボロではないスナックで働いている。おかんの昔からの知り合いが、声をかけてくれたのだという。今も「夜の街」にいる。他の道も僕はすすめたが、ホステスの仕事が好きらしい。

「雑巾がけの下っ端から、がんばります!」と、言っていた。

《奴隷の椅子》内で語られるおかんのエピソードをもう一つ明かすと、女の子が欲しかったおかんが、胎内にいたころの僕ら三兄弟を全員、「朝子」と呼んでいたというものがある。つけたかった名前らしい。この話は僕が子供のころからずっと聞かされてきた話だ。

だから《奴隷の椅子》を制作するまで気がつかなかった僕もアホすぎるのだが、「夜」

の街で若いころから働いてきたおかんが、「朝」子と名づけたかったというのは、深い話なのかもしれない。

「自分の人生に後悔はしていない」と言いつつ、「人生を選べなかった」おかんはきっと、「朝子」にはそんな人生を歩んでほしくなかったのだと、僕は勝手に想像している。

そう考えると僕は、おかんの願いむなしく結局超夜型人間なのだけれど、《奴隷の椅子》を通して「人生を選んでいく」ことの尊さに気づいた人がいるならば、その人はもう、おかんの産んだ「朝子」なのだと誇らしく思っている。

もくじ

カバー写真　松田 修
ブックデザイン　鈴木成一デザイン室
大口典子(nimayuma Inc.)

現人神

　昔、僕が小学生のころ、近所に仲のいいホームレスがいた。彼が生息していたのは、たしか、第一級ドブ川と名高い、蓬川《よもがわ》や浜田川周辺で、いつもぶらぶらしていて、学校帰りなんかに出くわすと、うれしかった記憶がある。名前は知らない。僕だけでなく、みんなも知らなかったと思う。

　だから僕らはそのホームレスを、ダイレクトに「〇ンペン」とか「〇ンペンのオッチャン」と呼んでいたが、この文章を伏せ字だらけにするのも忍びないので、僕の好きな「阿Q正伝」にちなみ、仮に「Qちゃん」と書くことにする。阿Qのカス具合が丁度いい。なにより「Qちゃん」を思い出してゲラゲラ笑い出してしまう感じと、阿Qを想像してゲラゲラ笑う感じも僕の中で一致する。

　顔はいつも真っ黒だったから、年齢を推測するのは難しい。たぶん六十前後ってところだと思う。ホームレスはハゲないなんて都市伝説を聞いたことがあるが、Qちゃんはがっつりハゲていた。背丈は当時の僕から見ても小さかったから160センチくらい。そして、当然のように歯抜けだった。オセロゲームの白と黒、一見どっちが勝ったかわからないくらいの、歯と抜け跡がせめぎ合っている歯抜け。歯磨きの習慣がいまいち定着していない僕も、今や立派な歯抜けなのだが、自分の歯が抜けたり欠けたりするたびに、Qちゃんを思い出す。いわば歯抜けのカリスマだ。

Qちゃんの服装が特別汚かった記憶はないが、においはたぶんキツかっただろう。でも、家に風呂がなかった僕なんかも臭いガキだっただろうし、当時の尼崎の空気も工場やら性産業やら下水やらでえげつなくて、どこもかしこも臭かっただろうから、気にすることなんかなかった。

当時、というか今も、尼崎のあらゆる川の近くにはたくさんのホームレスが住んでいて、僕の小学生時代、彼らと交流するのは、尼では割とポピュラーなことだったと思われる。武庫川の河川敷にはかつて、そんなホームレスたちの「大スラム」があったと聞いたことがあるが、僕の知る限りでは、もう「大」ではなかった。まあ年々、「表では見かけなくなっている」のが現状なのだろう。とはいえ南に下るほど治安が悪いと言われる尼崎で、いまだに南に下るほどホームレスが多くなるのが僕の所感だ。そして、その多くのホームレスは恐怖の対象でもあったのだが、Qちゃんは違った。

小学生だった僕らの間では、Qちゃんはとにかく「めちゃくちゃオモロい」オッチャンだった。僕らは競い合うように彼から知識を授けてもらい、次の日、得意げにみんなに話すのが恒例だった。

「昨日な、Qちゃんに会ったんやけどな、めっちゃええもん見せてもろてん。コンドームって知ってるか？　大人がセックスのとき着けるらしいねん、……は？　どこにってそらぁ、ちんちんやんけ。昨日付け方まで教わったで。それがなあ、ぬるぬるしとってぇ、めちゃきしょいねん！」

「わ〜ええなあ。オモロそう！」

「コンドームってな、ゴムでできてんねん。でな、Qちゃんがな、それにぷぅーいうて空気入れて膨らませてな、おれらに投げてきよんねん！　頭おかしいやろ！」

「うわっ〜、きっしょ〜！」

「ペッサリーいうもんもあるらしいで」

今思えば、Qちゃんが僕らに授ける「教え」は、九割がた下ネタで、苦手な人なら三代は祟るくらい、最悪の「教え」だった。僕らはまだ下の毛の産毛も生えてない、セックスのこともいまいちよくわかってない年齢だったが、意味をそんなに理解してなくても、Qちゃんのしゃべりの上手さも手伝ってか、不思議とゲラゲラ笑えていた。そんなだから、尼内にある「笑い至上主義」な空気も手伝って、Qちゃんに偶然会えて「教え」をもらえたやつは、次の日必ずと言っていいほどヒーローになっていた。僕らが下品な下ネタの名人なのは、この英才教育の賜物だろう。

「Qちゃんに聞いてんけどな。右手で輪っか作って、ちんちんを優しく握って……、こう……こう、動かすねん。めちゃくちゃ気持ちええねん！」

初めて僕らにオナニーの仕方を教えてくれたのもQちゃんだった。手の動きの実演を交えて、「そう、その動きや」。さながらオリンピックを目指す選手とコーチのように、熱く、時に優しく教えてくれた。左手をしばらく足にはさんでしびれさせ、他人の手のようになった手であ〜だこ〜だする上級者編、なんてのもあった。余談だが、僕はQちゃんに習ったオナニーの仕方を試そうと、真夜中に布団の中でもぞもぞ悪戦苦闘していたら、ずるっと皮がむけ、中身が露出し、「ちんちんが壊れてしもた！」と超焦って飛び起きて、おかんに泣きついたことがある。眠い目をこすりながら、おかんは無言で直してくれた。

下ネタ以外の残り1割のQちゃんの「教え」はけっこう不評で、せっかく会えたのに「ここだけの話な。オッチャンな、実は火星人やねん」なんてQちゃんが言い出した日には、「今日の話はハズレやな」とがっかりしたりもしていた。でも、ほとんどの話は笑えたし、毎日刺激が欲しい僕らにとって、Qちゃんは正にうってつけの存在だった。Qちゃんの話を、学校の先生や親などの大人へしたときの、本当に絶妙に困った顔を見るのも楽しかった。大人を怒らせない程度に困らせるのが、あのころ、僕なんかの最高の娯楽だったから。あとQちゃんは、街に落ちている雑誌やエロ本を持っていけば、なんでも買い取ってくれた。たいていは一冊1円、エロいやつは5円。ごくたまに「オッチャンも勉強さしてもらうわぁ」と、10円で買い取ってくれた。だから、貧乏なクソガキにとっては現世に現れた救世主みたいなもんで、この点でもQちゃんは絶大な人気を誇っていた。人気者すぎて、Qちゃんが喜ぶからとシケモクを拾い集めるやつもいた。

僕らは大好きであると同時にQちゃんをめちゃくちゃばかにしていたが、Qちゃんも僕らをばかにしていた。僕らは対等で純粋だった。邪悪さのかけらもなかった。けど、今ならこの交流は、問題になるだろうか。

そんなある日の放課後、僕は友達と二人で、テレビゲームに興じていた。全国的にファミコンがバカ売れして、家でテレビゲームができるようになっていった時代だ。しかし、僕らの地域でファミコンのハードである「本体」を持っているやつは極少数で、持っているやつは「英雄」、そしてその家はたまり場だった。このとき一緒に遊んでいた田中くんの家は、まさしくそんな家。しかも、僕の家と同じく小さなオンボロ平屋だったのにもかかわらず、一人っ子として部屋が与えられていた。さらに両親が深夜まで帰ってこない家だったので、ファミコンやり放題。このころの僕らの理想郷だった。けれど、ハードがあってもソフトの数が少ない。二人だけで遊ぶのには飽きがくる。お互い無言になってしまった時間を経て、田中くんが言った。

「なあ、Qちゃん連れてきて、Qちゃんとファミコンしてみん?」

「!」

「なあ、絶対オモロいやろ！」

田中くんは、悪い顔をしていた。ニヤニヤを超えてニチャニチャ笑っていた。それから二人ですぐ街へ出て、Qちゃんが見つからなければこの話は終わる。けれど、わずか10分足らずで見つかるのだった。このときの神様も悪い顔をしていただろう。そして神様も、僕らとQちゃんのテレビゲームを見てみたかったのだろう。

「Qちゃん、急にごめんやけど、今から田中くんちでファミコンせえへん？」

「え、おっちゃんインベーダーゲームもようやらへんし。うまくできるかなぁ。今日忙しくはないねんけど……」

アンタ忙しい日なんてないやんけの顔を僕らは揃いでやり、戸惑うQちゃんを田中くんちへ拉致する。さすがにおっきいお友達を自分たちの家へ上げるのには、多少のためらいがあるにはあり、親に怒られることも想定されるが、バレなきゃいい。こういうときは、オモロいが常に勝つ。

ゲームソフトを選ぶ。アル・カポネ級の悪い顔で田中くんが選んだのは、「桃太郎電鉄」という今や定番にもなっているソフトだった。日本全国をサイコロを振って旅し、その土地にちなんだ物件を買い集める対戦型のゲームだ。プレイヤーはそれぞれ電車を模した形になっている。

ゲームを始めて、Qちゃんがゲーム内で新幹線を模したキャラクターに変化したときには、「Qちゃん、新幹線なんか乗ることあんのけぇ〜」。Qちゃんがゲーム内で阪神タイガースのオーナーになったときには、「阪神、ほんまのほんまに暗黒時代来たな。もう一生最下位やんけ！」。Qちゃんが街の物件を独占すると、「この街だけは行きとうないわ！」。

僕らは最初からフルスロットルでQちゃんをいじりまくり、ゲラゲラ笑いまくった。だが、Qちゃんもいじられてばかりではない。僕が漬物屋の物件を手に入れると、「おまえみとぉな手も洗わへんガキが、漬物屋さん経営て！　一瞬で潰れるわ！」。田中くんが温泉旅館を手に入れると、「見たとこおまえんち、風呂ないやんけ！　自分のとこ、なんとかせんかい！」。

その後もQちゃんが物件を手に入れるたびに二人でいじり、二人で爆笑した。Qちゃんもいじりに応戦し、楽しそうだった。Qちゃんが日本全国のホテルを独占したときがゲームのハイライトで、「Qちゃんが日本一のホテル王て！　人に部屋貸す前にまず自分が借りぃや！」。

僕らは腹だけじゃなくて全身がよじれるくらい笑った。ゲームの結果はというと、僕らの忖度もあり、Qちゃんが優勝した。そのときの田中くんの悪い顔は、この世にまったく未練や悔いがない、「成仏顔」になっていた。僕もそうだったと思う。

「優勝賞品やで」と、田中家の小さな冷蔵庫にあった、ほっそい魚肉ソーセージを田中くんから授けられたあと、Qちゃんはうれしそうに生息地へ帰っていった。Qちゃんとテレビゲームをしたのも、家で遊んだのもこれっきり。やっぱり家で遊ぶのは、お互いに何か越えちゃいけない一線を越えすぎた感じがあったのかもしれない。けれど、僕にも田中くんにも、あんなに楽しいテレビゲームの機会は、これからも一生訪れないことは確かだ。テレビゲームで遊んだあとも、相変わらず僕らはQちゃんに「教え」を受けていたが、僕らが中学生になり、阪神・淡路大震災が起こる1年前くらいには、Qちゃんの姿を見ることはなくなった。さびしいとかはなかった。

それからまたしばらく経った、僕が高校生のころ、「Qちゃんとおれらやんけ」なんて思ったのは、ダウンタウンのテレビ番組「ダウンタウンのごっつええ感じ」で、「トカゲのおっさん」というコントを見たときだった。尻尾のある胴体はトカゲだが、頭や手足はオッサンというトカゲ人間、「トカゲのおっさん」に扮するダウンタウンの松ちゃんと、同じくダウンタウンの浜ちゃん扮する少年「マサ」との交流を中心に描いた、連続ドラマ形式の傑作コントだ。その第1回目は、アトランタ・オリンピックの裏番組として高視聴率が望めないなか、36分間一つのコントだけを流し続けるというもので、もはや伝説となっている。

そんなトカゲのおっさんとマサとのやりとりを見て、高校生の僕は、Qちゃんを思い出していた。きっと松ちゃんにも、「Qちゃん」がいたんだと想像した。尼崎ではたびたび、日本を揺るがす大きな事件なんかが起きてしまうが、ホームレスと子供の事件があったなんて僕は聞いたことがないから、個人的にはこのような伝統の奇習が、尼のどこかで、時代を超えて続いてほしいと願っている。

松ちゃんといえば、尼崎についての本を書くとおかんに言ったら、「尼を悪く書いたらあかん」など、いろいろ「お達し」をいただいたのだが、なかでもいちばん強く言われたのが、「ダウンタウンのことを書いて金儲けはあかん!」ということだった。しかし、僕ら世代で尼崎のことを書いて、ダウンタウンについてまったく触れないのは不可能というか、不自然なのだ。そして、僕はダウンタウンのお二人とはまったく面識がないが、この本では尼人らしく、いつものように親しみをこめて、「松ちゃん、浜ちゃん」と書くことにする。

僕が、「ダウンタウンのごっつええ感じ」で特別な思いを持つコントは、もう一つある。それは「スキマ男」というコントで、家と家の壁の「隙間」にはさまっていた男が巻き起こす、珍騒動コントである。最後は松ちゃん演じるスキマ男が、包丁を振り回したりするコントなのだが、うちの、嘘かホントか「生まれてから一度も働いたことがない」っていうのが自慢のおとんも、すねて包丁を振り回すのが得意技だった。それは、「死んだるぅ～っ!」って、おとんが近所中に聞こえるように叫びながら行うパフォーマンスであり、「またや。必殺技出たわ」なんて毎回家族一同でゲラゲラ笑う、絶対に誰も死なない喜劇でもあった。

　たとえばこんな具合だ。僕が小学生のころ。めずらしく家族で、今はもう存在しない、神戸ポートピアランドへ遊びに行こうなんて話になったとする。そうすると決まっておとんは前日に深酒をし、当日は二日酔いのエグいやつになっていて、押し入れに立てこもるのだ。

「おとん、また約束守れへんのか」

「うっさいボケぇ。あっち行け」

「ほんまもんのカスやんけ」

「あっち行け」

「なんのために生まれたんや」

「うっさい。キャンキャン言うな。頭に響くねん」

「うんこよりうんこや」

　そんなときは、こんなふうに家族みんなで押し入れのおとんをなじり続けるのだが、おとんはそれに耐えきれなくなったあたりで、ガバッと一気に押し入れから出て台所へ走り、包丁を振り回し、「死ぬ！　死んだるからなぁ！　死んで、おまえら全員呪ったるからなぁ！」って叫ぶのであった。そして、最後には死ぬことは選ばず、ゲラゲラ笑う僕らを横目に家から走って逃げ出して、何日か経ったあと、何ごともなかったように帰ってくる。そんなだったから、僕はQちゃんを思い出した「トカゲのおっさん」と同じように、「スキマ男」を見たとき、「おとんやんけ！」って大爆笑したものだった。

もちろん、僕と同じような尼の原風景が本当に松ちゃんにあったのか、僕には知る由もない。あったとしても、それを全国民へ「笑えるように」コント化する才能は、天才の所業としか言いようがない。なかったとしても、それでも僕は思ってしまうのだ。松ちゃんが生み出した「キャラクター」にそっくりな人と、尼で会ったことがあるんじゃないかと。松ちゃんが初監督で撮った映画『大日本人』の主人公である大佐藤大が、世間から差別のようなあつかいを受けるありさまは、被差別部落なんていわれる地域がたくさんあって、後ろ指さされまくる「尼人」そのものじゃないかと。そんなふうに思ってしまうくらい、ダウンタウンの「世界観」は僕の「尼崎観」とリンクする。そんな尼人はたくさんいるはずで、だからこそダウンタウンは多くの尼人にとって、地元出身の有名人っていうのとはちょっと違う。それはもはや、信仰に近い。

僕は、芸術の仕事の関係で、自分のアイデンティティーにまつわる話をよくする。関西以外の、尼を知らない人たちへ。そして、外国人にも。そんな人たちにわかりやすく尼崎をイメージしてもらうのに、まずは工業都市出身であることを説明する。程度などに多少の違いはあれど、低賃金で働く労働者がいて、失業者もいて、繁華街があって……など、他の工業都市も似たような場所や構造をしているから、イメージしやすいのだ。

たとえば関東なら川崎とか、アメリカならデトロイトとか。次に、そんな町は同じような問題を抱えていて、そのひとつが貧困問題であると説明する。それぞれの理由は様々で、単に失業から貧困に陥ったパターン、公害や治安などの問題で地価が安いから、もともとの貧困層が集まってきたパターン、他にもたくさんあるだろう。

しかし、それはもはや家族から家族、家庭から家庭へと受け継がれる構造的な問題と化していて、僕の家族もそんな貧困問題を抱えていると伝える。

その人たちが経済の面で大成功するには、貧困から脱出するには、スポーツか芸能の道しかない。他にもあるのだけど、そんな情報を持つ大人が少なすぎるのだ。教育にお金をかける空気はゼロ。「クモンシキ」が何かも知らない。息子や娘に真人間になってほしいと願う親は多いが、そもそも真人間がどういうものかも知らない。僕にもわからない。まあ、ニューヨークのハーレムなんかの貧民街の黒人が、バスケットボール選手やラッパーを目指すように、尼崎の多くの貧乏人は、スポーツではまず阪神の野球選手、次に競艇の選手を目指す。芸能では、ラッパーではなくお笑い芸人を目指す。小学生のときからお笑いコンビの相方を探し、漫才の真似ごとを始めるくらいには、お笑いが浸透しているから。

そういうふうに、特に外国の人なんかには説明する。そうすると、バスケのデニス・ロッドマンとかアレン・アイバーソン、ラッパーの2PACやエミネムのような貧困を脱出した有名な存在はいるのか、と尋ねられる。僕は「いるよ」と。「待ってました」と。

たぶん最高にムカつくどや顔で、答える。尼崎出身で貧困から大脱出した、なんなら日本でいちばん成功したお笑いコンビ、その名前は「ダウンタウン」だと。その、名が体を表しすぎているコンビ名に、たいてい笑ってくれる。日本語のニュアンスである下町やスラムっていう意味でも笑えるかもしれないが、英語では「繁華街」とか「街の中心地」といった意味になるのだ。さらに、彼らの芸風はガラの悪い、ギャングスタ・コメディーだと伝えると、「リアル！」とか「グレイト！」と返ってくる。

そんな「スラム脱出の生き字引」である松ちゃん、浜ちゃんに、僕らが憧れたりするのは当然の流れなのだ。聞いた話だが、お笑いと歌手の違いはあれど同じような理由で、沖縄では「安室奈美恵」が信仰されているらしい。ダウンタウンや安室奈美恵になれるなれないじゃなくて、そういう人が自分と同じ環境や境遇に「いた」ってのは、それだけで救いになる。僕にはそれがめっちゃわかる。

ダウンタウンの芸風をラップに例えてギャングスタ・コメディーと書いたが、ダウンタウンから感じる「怒り」にも、僕はシンパシーを感じている。芦屋、西宮、宝塚……、尼崎のまわりは治安のいい高級住宅地だらけで、「世の中おかしいやろ！　なんでうちはこんなにクソやねん！」と、自転車に乗れる年齢くらいには、その圧倒的な違いを知る。「尼崎ナノ？　カワイソ〜」って、高校生のときにしていた引越しのアルバイト中、芦屋の上品ぶったオバハンに、直接言われたこともある。怒りが宿らないほうがおかしい。

小学生のころ、一度どんなもんかと友達と、高級住宅地と名高い「芦屋の山のほう」へ自転車で、冒険気分で行ったことがある。嘘みたいにでかい城のような家が立ち並び、着物を着た夫婦が、小型犬を抱いて散歩をしていた。今なら不思議に思わないかもしれないが、僕は抱かれて散歩をしている犬なんて生まれて初めて見た。背筋をピンとして歩く着物を着た人なんてのも、生まれて初めて見た。変な気分になったことを覚えている。一緒にいた友達も同じだっただろう。当時、尼で見るほとんどの犬は雑種の野良犬だったし、背筋が曲がったジャージを着た人ばかりの尼から、僕らは来たのだ。あの変な気分は、今思えば、尼では感じなかった「巨大な劣等感」から来るものだったと思う。このころ、僕ら小学生の間では、大金持ちが主人公の『おぼっちゃまくん』というマンガと、貧乏人が主人公の『つるピカハゲ丸』というマンガで、仁義なき派閥争いがあったのだが、もともとおぼっちゃまくん派だった僕は、芦屋の犬抱き着物夫婦を見かけたことにより、あっさりハゲ丸派に転向した。自分のような絵に描いたような貧乏人が、おぼっちゃまくん人気を支えるなんて、アホくさく思ってしまったのだ。僕は一生覆ることのなさそうな、理不尽にも思える「差」を見て怒り、同時に「諦めた」ような気がする。

そのような環境でたまった「怒り」が、ダウンタウンにもあったのではないだろうか。初期のダウンタウンが反権力的に見えたのもそのせいだと、僕は思う。もちろんこれは僕の主観でしかないし、ダウンタウンが尼崎マインドだけで成り立っているわけはなく、松ちゃんの瞬発的で天才的な大喜利力のボケ、浜ちゃんの「ヤカラ」キャラクターを生かした強烈なツッコミなど、ダウンタウンが他の芸人と比べて稀有であることを書こうと思えば、僕は無限に書ける気にもなる。

しかし、同郷の僕がダウンタウンの特異性について書くならば、前にも書いたとおり、それは、ほとんどの人が笑えない尼崎の風景のような設定を、多くの人が笑えるようにアジャストした、その神通力なのである。そして、表面的ではない「本物の怒り」が内在しているように見える、その態度なのだ。怒りもない人が怒ったような芸をやり、育ちのいい人がわざわざ育ちの悪い人の振りをする……。ダウンタウンの登場以降、テレビの中だけでなく、僕のまわりでもそんな人が増えたからこそ、僕はそう思う。

ダウンタウンが広めたものとしてもう一つ、「いじり」について書きたい。この本に登場するほとんどの人物たちにも、いじり合いの関係性があるから。僕が知る尼崎では、落ち込んでいる人をいじって、いや、なじってからかい合う風潮があった。たとえば、親に怒られるでも、好きな子に振られるでもして落ち込んだ態度をとっているとする。すると、まわりの誰かしらに、「おまえ～悲劇のヒロイン病とちゃうんけ～！」と、からかわれるのだ。で、たいていの場合、「ちゃうわボケ～！」とやり返す。

このようなやりとりは、実際に行ったメキシコのスラムの住民間でも見かけた。アメリカ、サンフランシスコのホームレスたちもやり合っていた。まあ、うっとうしいといえばそれまでなんだけど、今では、僕は貧乏人同士による「ケア」だと考えている。つまり、つらい現実があるような場所では、わざとお互いが茶化し合って、落ち込みすぎないような風潮が生まれるのではないか、人間にはそんなところがあるのではないかと思う。落ち込みすぎて、死んでしまわないように。つまり、楽しく生きるためにいじり合うのだ。

映画監督のフェルナンド・メイレレスが『シティ・オブ・ゴッド』という映画を作ったとき、貧困や暴力をエンタメとして明るく描きすぎであるとの批判を受けたらしいが、それに対しメイレレスは、「現実の貧民街は明るさに満ちている」と反論したという。国や土地によって貧困度合いも現実も違うのは承知しているが、僕にはその、「明るさ」が想像できる。そして、外からは決して見えない心の「暗闇」も想像できる。

次に、「いじり」と「おいしい」はセットであることを書いておきたい。これは、関西人なら常識だと思う。「おいしい」とは、いじられた側が、いい目を見たり、得する気持ちになることだ。具体的に僕の体験例を挙げる。

僕は幼少期から小学校低学年くらいまで、濁音がうまく言えなかったり、言葉がうまく発音できなかったり、ちょっとした言語障害があった。それを知っている友達が、いじりまくってくるわけだ。学校にあるようなでかい定規をわざわざ僕の目の前まで持ってきて、「なあなあ、これ、なんやったっけ?」って僕に尋ねるのだ。僕はそれに対し、少しすました顔で、「ものさ『ひ』」と答える。

このネタは当時の僕の鉄板ネタで、めちゃくちゃウケていた。みんな大爆笑。僕はこれをめちゃくちゃ「おいしい」と思っていて、普通に「ものさし」と発音できるようになっても、「ものさひ、ものさひ」言っていた。いじる側も、僕が何が言えて何が言えないかを熟知していたから、「あれ……、こいつ、もう普通にしゃべれるんとちゃうか」と気づいていただろうが、爆笑をとれるうちはいじり続けてくれた。

これは前提として、足の速い子よりもオモロい子がモテる関西人気質ってのも関係があるだろうが、僕は簡単に笑いがとれて、得している気持ちだった。いじりが気持ちよかった。正に僕にとって「おいしかった」のだ。

そして関西では通常、「おいしい」側のほうがヒエラルキーとしては上になることも書いておく。笑いがとれない、ウマく「いじれ」ないやつには、「そんなんやったらぁいじってくんなやボケ！」と、みんなが厳しい。楽しく茶化し合う関係と「いじり、おいしい」の関係。これら二つの要素がない場合、それはやっぱり「いじめ」になるのだろう。その点、ダウンタウンがいじってきた人は、何千万円もかせいで、スターになって、やはりおいしかっただろう。松ちゃんはいじるのも天才だ。

今では当初の大きな目的だっただろう貧困を大脱出し、年とともに「怒り」も失せ、権威だなんだと言う人もいるかもしれないけれど、「僕ら」だけは変わらず、ダウンタウンがいてくれてよかったと、思い続ける。

《ビッグ・ザ・ゲドー》2015年／ジークレープリント、テキスト（ビッグ・ザ・ゲドーの人生）
実在した障がい者プロレス団体「小人プロレス」やアメリカで反日感情を煽りながら活躍したレスラーの歴史を参照し、差別意識を利用して活動した最強のヒールレスラーを創造。差別すら「おいしい」ものとして利用する、尼人精神溢れる作品。
共同制作＝古藤寛也　写真＝井手康郎

プレゼント

関西人ならほとんどの人が、いわゆる「すべらない話」を一つは持っていて、僕にもそれがある。卯城竜太との共著、『公の時代』（朝日出版社、２０１９年）の始めに、僕のその話を卯城くんが書いてくれたのだが、僕も書いておこうと思う。

僕の年齢は当時一桁台で、九才年下であるいちばん下の弟は、まだ誕生していなかった。おかんはまだ自分の店を開いていなくて、二十代中盤。おとんは安定の無職でアラサー。次男である弟が五才くらい。今の実家より狭い、２Ｋのボロ平家に四人暮らし。朝からさつま白波をチョビチョビといくタイプのアル中だったおじいはまだ生きていて、おばあはまだ一緒に住んでいなかった。もちろん、「ド」のつく貧乏だった。

子供のころというのは、うらやましく思うくらい今よりも時間がゆっくり進んでいた。放課後の時間は無限に感じられて暇を持て余すのだが、僕らはおもちゃやゲームと縁のない生活だったので、尼崎の港、海のほうへ、よく遊びに行っていた。

今では大人すら入れないようなところでも、当時は子供だけで行けた。主な目的は、港に大量に流れ着いたクラゲの死体で、誰がいいだしたか僕らの間では、「おっぱいの感触」ということになっていて、飽きもせずよく触りに行っていた。そのころの尼崎港の海は、茶色と緑色がしたくもない結婚をしたエグい毒の色をしていて、それぞれの浮気相手に七色に光る油が、斑点模様に浮いていた。そして、酸っぱすぎる沢庵のようなにおいがした。あのへんにあったテトラポットに磔の刑なんて、地獄の閻魔も躊躇するだろう。まあ、汚かった。釣り人もよく見かけたが、釣った魚を食べたりなどしていないだろう。当時から景色がきれいだと評判だった港の先の先のほうには、実は僕は一度も行ったことがない。怖いニイチャンたちのたまり場だと、誰かに聞いたからだ。

そんな、僕がクラゲの死体をありがたがっていたころの話。僕はまだサンタクロースをがっつり信じていた。我が家のクリスマスプレゼントは、自分が欲しいと思うものを僕がおかんへ申告し、それをおかんがサンタへ伝え、届けてくれるという、どこの家庭にもある「普通の」サンタシステムを採用していた。あまりはっきりとは覚えていないが、当時大人気だったビックリマンチョコを箱ごとねだるとか、今思えばおかんの誘導もあり、割とささやかなものを願っていた気がする。そして「今から書く年の前年」までは、滞りもなく、僕の願いどおりのものをサンタは届けてくれていたと記憶している。すぐ下の弟へもそうだっただろう。

クリスマスイブの日。明日、自分の近くに置いてあるであろうプレゼントに思いをはせながら、早く寝床につく。が、楽しみすぎてなかなか眠れない。世界中にたくさんいるであろう子供たちと、ここまでは同じだった。

超早朝。僕はそのころ、同年代ではもはや過去の遺物と化していた「おねしょ」ってやつがまだ完全には治っていなくて、3か月に一度くらいはやってしまっていた。だから、じわりじわりと感じた冷気と水気で目が覚めたときには、「よりによってクリスマスの日にやってもうた！」と、すぐに下半身周辺の布団を手でまさぐった。しかし、濡れていない。不思議に思い、水気のもとをたどると、「それ」は顔のすぐ横、枕元にあった。スーパーの白いビニール袋、たぶんオレンジのロゴが入った、ダイエーの袋だったと思う。ふだん目覚めの悪い僕も、このときばかりは1年でいちばん素早く起き上がり、中を探った。探っている数秒の間に「なんで濡れてんねん……」と、悪い予感があった。中身は、凍った生肉だった。

「あ、これプレゼントとちゃうわ」

僕の脳は、これをプレゼントだと考えることを拒否し、他を探す。まだ隣で寝ていたであろう弟にかまわず、布団をひっくり返し、探す。探しまくる。なぜか生肉以外にプレゼントのようなものは見つからない。そういえば、弟のも見つからない。サンタよ、ああサンタよ。もしかしてアンタ、家を間違えたんとちゃうか。僕はそう思った。

僕には起こそうとした記憶がないから、そのとき、おかんは起きていたと思う。寝て起きたのか、そのまま起きていたのかはわからないが、二部屋ある家の台所のあるほうで、もしかしたら薄明りの中、酒を飲んでいたかもしれない。僕はおかんがどんな仕事をしていたかわかっていたし、そんなことは今も昔もめずらしいことじゃなかった。しかしあのとき、ごそごそとプレゼントを探す、隣の部屋での僕の気配に、おかんは一人で何を思っていたのか、僕は想像しないことにしている。とにかく、僕は例の凍った生肉を手に持ち、布団をぐちゃぐちゃにしたそのままで、隣の部屋へ突撃した。

「おかん！　なんかこんなんが置いてあったんやけど……、他にはなんもないねん！」

「どうしたん？」

それからのおかんの様子を、可能なら地球上すべての人へ見せてあげたい。映画なら、日本アカデミー助演女優賞に相当する。おかんは手を伸ばし、僕から例の袋を受け取り、知っていたであろう中身をじっくり観察したあと、「あぁぁ！」と言いながら両手を口に当てて、なにか感動したような素振りを見せる。

「ああ、あんたらは男前やなあ。ほんまにかっこええ子ぉ〜やなあ」

おかんはそう言って、ふだんはまったくしないのだが、がしがしと僕の頭をなでた。僕にはまったく意味がわからない。

「なんやねん。気持ち悪いな」

僕が戸惑うのも気にせず、おかんは続ける。

「サンタはなぁ、あんたらがいっちばん欲しいものを、キャッチできる超能力があるねん」

「……」

「あんたら二人は、家族みんなでおいしい肉を、腹いっぱい食べたいって、そう思ったんやなあ。ほんまにかっこええなあ。ふだん肉とかたくさん食べさせてあげれんで、すまんかったなあ。かっこええ息子がおって、おかあさんほんまに幸せやわあ」と、さらに僕の頭をなで、うっすら涙まで浮かべていたような気がする……。一方、僕は戸惑いまくり、事態をゆっくり把握して、確かにちょっとはそんなふうに思っていたかもしれないなどと考え、自分をめちゃくちゃ呪った。なんでそんなことを思ってしまったんや、僕……、と。しかし後悔先に立たず。覆水盆に返らず。あとはおかんの手前、僕は精一杯かっこをつけるしかなかった。

「そうなんやなあ。今年限りやで！　めっちゃ僕らに感謝してや！」

僕は、虚勢オリンピックの金メダルを獲った。でも本当は、めちゃくちゃ泣いてしまいそうだった。悲しかった。もしかしたらそんな僕の様子を見て、おかんは涙を浮かべたのかもしれないと、今なら考えられる。

僕にとって問題は、次の年だった。もう失敗は許されない。もうあんな思いはごめんだ。少し肌寒くなった9月には、もうクリスマスを意識していた。死体クラゲを触りに港のほうへ行ったときには、「サンタさ〜ん！　僕〜、ほんまにテレビゲームのソフトが欲しいんです〜！　親とか家族とか、どうでもええと思ってます〜！」と海に叫んだし、「サンタさ〜ん！　もう肉とかほんまにやめてください〜！」と、学校帰りに何度も空へ向かって絶叫した。それを聞いた友達やまわりの人は、何言うてんねんコイツと思っていただろうが、僕は必死だった。何かにつけ、「親とか死んでもええと思っているんで〜！　僕、泣いたりもしないんで〜！」と、どこかで聞いているかもしれないサンタへ訴えていた。

おかんがいないときに家では弟と二人で、「おばけなんてないさ」の替え歌、「家族なんてないさ」の大合唱をしていた。弟は意味がわかんなかったと思うけど、「全部、クリスマスプレゼントのためや」と言うと弟は、魔法がかかったみたいに僕になんでも協力した。

そんな努力を怠らない日々を送っていた、11月初旬のある日。僕は家で、神妙な面持ちのおかんに手招きされる。

「大事な話があるねん」

椅子に座らされ、僕はなんやめんどくさいなあって感じだったと思う。僕はもう、いろんなことに耐性がついていて、たいていのことには驚かなくなっていたから。しかし、「サンタの話や」のおかんの一言で「めんどくささ」は吹き飛ぶ。猫背だらけの尼内で、僕はいちばん背筋をピンとさせたと思う。

「まず、サンタの仕組みを教えんとあかんな。ほんまはこれ、子供たちには内緒の話やねんけど……」

僕はごくりと喉が鳴るくらい真剣緊張傾聴モードになった。サンタの話はもちろん、「子供に内緒の話」ってのが、当時の僕は大好物だった。

「サンタクロースってのはな。フィンランドっていう、めっちゃ雪が降る国におるねん」

「ああ、それは知ってるわ」

「正確に言うとな、そのフィンランドにおるのは、サンタの親分さんやねん」

「……どういうことや」

「一人で世界中の子ぉらにプレゼント配るんは、不可能やんか。しかも一晩で」

「まあそうか……、そうやな」

「サンタの親分にはな、世界中に子分がぎょうさんおるねん。その子分が縄張り内の、自分の地区ごとにプレゼント配ってんねん」

「へ〜、知らんかったわあ。ほな、めっちゃ子分がおるってことか」

「そう、めっちゃおるってことや……。でな、こっからが大事な話や。耳かっぽじって、ちゃんと聞きなさい」

「うん……」

「ウチの地区のサンタ、死んでもうてん」

「！」

　本当に想定外すぎて、目ん玉が飛び出て地球を一周し、自分の後頭部に「こんにちは」するくらいびっくりした。しかし、おかんの話にはまだ続きがあった。

「でもあんたが、ほんまにプレゼント欲しかったら、隣の地区のサンタがプレゼント配ってくれるねんて。……けどなぁ」

「けどなに？」

「けどな、今うちの地区は、死んだサンタの跡目を決める争いの最中で、ドンパチやってんのやんか。自分のとこのを配るのも大変やのに、うちの、そんな危ないとこで争いに巻き込まれたら、命の保証はない。もしかしたら、となりのサンタも死んでまうかもしれへん。そしたら、うちだけでなくとなりの地区のプレゼントも配れなくなるのや……」

「えええぇぇ〜！」

「で、どうすんねん。あんたプレゼント、それでもほしい？」

　僕にそう尋ねるおかんには、凄みすら感じた。おかんはやり切った。僕は、まさか自分が死体クラゲで気持ちよくなっている間に、そんな大変なことになっているとは……、サンタの世界がそんな血なまぐさい世界だとは……と衝撃を受けていた。しかし、プレゼントはほしい。去年のこともあるから、よけいほしい。僕はなかなか答えを出せずにいた。しばらく考えていると、ふと、これはおかんの嘘なのではないかとの思いも浮かんでくる。サンタってそんな死んだりするもんなんかと。あいつ人間ちゃうやろと。おかんはサンタに僕の希望を伝える係がめんどくさいだけとちゃうんか、と僕はおかんを疑った。

「ちょっと、考えさせてくれへん？」

僕はその場では答えを濁し、明日学校で友達に確認しよう、そう思った。僕は小中高と、どちらかというと学校が嫌いなタイプだったが、このときだけは次の日の学校が待ち遠しかった。一刻も早くみんなに確認したかった。

次の日、僕は通学路でも校内でも、知っている友達に会うたび、「聞いたか？　うちの地区のサンタ、死んでもうたんやて！　おまえ、プレゼントどうすんねん！」と尋ねてまわった。しかしその都度、僕の希望は打ち砕かれていった。

「な！　ほんまショックやわぁ……。どうしたらええの……」

みんな落ち込んでいた。たまに、「僕はそんなん聞かされてへん」ってやつがいたが、そいつの家は僕らの家から、必ず離れたところにあった。近所に住むやつはみな、サンタが死んだことになっていた。

その日は一日中、休み時間になるたびに、会議みたいなものがあったと思う。最後には、「隣の地区のやつに迷惑かけてまでプレゼントもらうのはなぁ……、一生の借りとか作りたくないしぃ……」と、近所の誰もがみな、プレゼントを諦めていた。僕も同じ気持ちになった。家に帰っておかんに、「プレゼント、やめとくわ」と伝えた。悲しかったけど、悲しいのは自分だけではないってのが、諦めるのにはよかったと思う。おかんには、またも無言で頭をなでられた気がする。

その年のクリスマスの朝。僕にはまだ、ひょっとしたらの気持ちがあった。しかし、プレゼントはなかった。その年から、サンタが我が家にプレゼントを置いてくれることは二度となかった。

それから何年後かの、いろいろわかってきたくらいのころに、僕はこの地区ぐるみの企みについて、おかんを問い詰めたことがある。おかんは、「我慢させてもうてごめんなぁ。でも、オモロい話になったやろ。ずぅ〜っとできる話やんか」と少し罪悪感のあるような顔をしながら、笑った。そのとおりで、僕はこれ以来、いつもこの話で笑いがとれるようになった。しかし、少しかわいそうだなと思うのは、いちばん下の弟にはサンタが来たことがなくて、クリスマスイブの夜にサンタがプレゼントを置いていくなんて、伝説上の話となっていたことだ。

「昔はまだサンタが生きてたって、ほんまなん?」

小さい弟に尋ねられるたび、僕は複雑な気持ちになった。けど同時に、毎回笑ってしまってもいた。

最近、東京の友達がどうしてもとねだり、「タコ焼きパーティー」なるものが催された。こういうとき、東京では、作ったり焼いたりのほとんどが関西人に押しつけられる。

あんなもん関西出身じゃなくてもできると僕は言ったが、そのときは大阪出身のカップル二人に、すべてがゆだねられた。

しかし、作っている途中から、僕は驚いた。生地には卵が入っていた。うちのは、小麦粉と水だけだった。中身には、タコだけでなく、揚げ玉、カットされたネギ、紅ショウガが入っていた。うちのはそもそも、つまみのお菓子のようなスルメイカの先っちょが、タコ焼き10個中たった1個だけに入っていて、「入ってたら当たりやで」と、当たりを探すゲームのようになっていた。楽しかったけど、よく考えたらあれは、タコ焼きですらない。

そういえばおかんは、貧乏プラス二日酔いと仕事が忙しいのもあってか、手の込んだ料理を作ることがほとんどない人だった。代わりに、茶碗にご飯を入れ、もう一つの茶碗でフタをし、シェイカーのように振って作る、「ぽこぽこごはん」などという簡単お手軽奇妙な料理をたくさん発明していた。僕ら兄弟はみな、振るとぽこぽこ鳴る「ぽこぽこごはん」が大好きで、茶碗を振りながら毎回ゲラゲラ笑い、毎日おかんに、「ぽこぽこごはん食べた〜い」とねだっていた。楽しかった。

サンタ死亡もタコなしタコ焼きもぽこぽこごはんも、思えば貧困が通底している話なのだが、おかんはそれを逆手にとる名人であったことは間違いない。友達の作ったためちゃくちゃおいしいタコ焼きを食べながらそんなことを思い出し、僕はおかんに敬礼するような気持ちになっていた。

僕には九コほど年の離れた弟がいる。うちの三男坊。末っ子。その弟は、うちの「生涯無職自慢」のおとんの血を色濃く継いでいて、２０２２年現在、僕はこいつが何をどうして暮らしているのかまったく知らないし、向こうから教えてくることもない。とはいえ兄弟仲は悪くない。１年に何度かは、尼か東京かで会って、一緒にメシを食っている。そのときは、こんな僕でも一応長男の務めみたいなもんを感じていて、こんなふうに尋ねる。

「なんかやりたい仕事とかあるんけ?」

僕は弟が無職だと決めきって、毎回尋ねる。この間は僕が住む東京・西荻窪の居酒屋で、焼き鳥を頬張りながら、弟は答えた。

「ハッカーになろうと思うてるねん」

「アホ! おまえパソコン持ってへんやんけ!」って、すかさず僕はつっこむ。このような会話が、もう10年くらい僕と弟との間で定番になっている。ハッカーの前はレコード持ってないのにＤＪになるだったし、その前は教員免許持ってないのに教師になるだった。富士山になりたいなどと、舐めくさったことを言ってきたこともある。このやりとりは、どちらかが死ぬまで続く気がする。

そんな弟にも、かわいらしい幼少期なんてもんがあった。そして、忙しいおかんの代わりに幼い弟の面倒を見るのは、僕の役目だった。僕の記憶の中での幼児期の弟は、今よりだいぶデブで、いつも指しゃぶりをしていて、しすぎたために親指がエグいことになっていた。あと、生まれたときにはもう髪がフサフサで、当時ハゲを極めていたおじいが、「うらやましいなあ。わしにもちょっと分けてくれへんか！」なんて、弟の髪をいつもネタにしていたことを覚えている。僕は、小さい弟といつも一緒に遊び、それなりにかわいがった記憶もあるが、今の弟にそんな記憶はまったくないらしい。

あるとき家で、僕とその三男坊、おかんとの三人で、「しりとり」をしていた。そのときの三男坊は二才とか三才とかそんなもんで、歩いたり走ったりはできても、言葉はまだ達者にしゃべれるって感じではなかった。まあ、アカチャンみたいなもん。だからその「しりとり」は、僕とおかんとで三男坊をおもんぱかりながら進んだ。三男坊に言葉を教える目的も含まれていたように思う。

「りんご」

「ごりら」

「ごりらってなんなん？」って途中何回か知らない言葉を聞いてくる弟に、「『ごりら』っていうのはなあ、猿のでっかいやつや」って教えていく。おかんとこうやって家で一緒になんかすることはめずらしいことだったから、甘えたい盛りであった弟も、ゴキゲンだったに違いない。どこにでもある、微笑ましい家族間での「しりとり」だったと思う。そして、そのまま1時間くらい経ったころ、弟に「ま」が回ってくる。

「ま、ま、ま、ま……」

少ない語彙力で答えようとする弟を、僕とおかんで応援する。二人で、ヒントなんかも出してみる。

「あれやあれ！　刺身の赤いやつや！」

「刺身の白いのもあるやん！　ま、だ、の次の字なあに？」なんて言うのだが、うちの食卓では刺身なんてほとんど並ばないせいか、弟はピンとこない。うんうん悩んだあと、弟は「あっ」と何か思いついた顔になり、

「まんこ！」

と、「アーアアー」の声をジャングル中にとどろかせるターザンが敗北宣言するくらいの大声で叫んだ。思ってもいなかった弟の「魔《ま》」の答えに、僕は絶句。ふと我に返り、僕はおかんの様子を恐る恐る見た。おかんは絶句プラス目が点になったまま、止まっていた。本当に、「停止」していた。そして弟は、「そんなこととは露知らず」、「親の心子知らず」世界ランキング第1位として、にっこりとかわいい顔で、「次、『こ』やで」と言っ

て、次のしりとりを促すようにおかんのほうを向いた。一人だけ様子が変わっていない弟は、答えられたことを褒めてほしそうにしていた。

　そして、長く感じた静寂は、「う……、うっ……」という、おかんの嗚咽で破られた。おかんは泣き崩れてしまったのだ。おかんは、言葉もよくしゃべれない赤子同然の「まんこ」発言に尼の呪いのようなものを感じて、たまらなくなったのだろう。僕は気まずくて黙ったままだった。

　僕は、神様、今一瞬だけでも天国へ連れてってくれへん？　なんなら地獄でもええよ？なんて考えていた。息を殺して存在を消す努力をしていた。というか、もしも地獄にこんな「気まずい地獄」が存在するなら、僕は現世で一日一善どころか毎日百善くらいやって暮らす。そのくらい気まずかった。この地獄から脱出する方法はないように思えた。

　弟は、僕らのその様子を、きょとんと眺めていた。弟に「まんこ」という言葉を教えたのは、たぶんおとんだろうけど、おとんが教えなくても、いずれ弟は他の地域よりも早く「まんこ」にたどり着いただろう。尼では、「赤子も歩けばまんこを覚える」。尼崎共通一次試験に出るから覚えておいて。

　赤ん坊の次は、老人の話いってみよか。おじいが死んだときの話。僕は中学一年生だった。僕がその訃報を聞いたのは学校で、おかんからの電話で知った。前触れみたいなものはなくて、おじいは急に死んだ。死因は、脳の血管が詰まったかなんかで、朝から酒を呑み、呑み続けて夜眠り、そのまま目を覚まさなかったという。悲しかったけど、びっくりはしなかった。電話口のおかんも、冷静な感じだった気がする。そのころ、おばあの痴呆が進んできていたから、「おばあはどうなるんかなあ」なんて考えながら学校を早退し、おじいおばあの家へ向かった。

阪神電車を二駅乗り、夕方、尼お決まりのオンボロいその家に着いた。家ではもうもろもろいろいろ済んだ様子で、知らんオッチャンオバチャンたちばかりの、大宴会がはじまっていた。うちはおとんもおかんも親戚付き合いなんてほとんどなかったけど、たくさん人がいた。もしかしたら、タダ酒が呑めるからかもしれない。

「酒呑んで眠りながら死ぬとか、めちゃくちゃうらやましいわ」

みんな、そんなことを言っていた。おじいもチューブにつながれて死にたくないって言っていたから、自分の死に様には満足していると僕も思う。大宴会の中心にはおばあがいて、大爆笑をとっていた。おじいの死んだ様子を身振り手振りを交えて語り、さながらおばあの独演会場のようだった。

「朝、なんぼ声かけても起きへんから、おかしいなあ?なんて思ってな。ええかげんにせえって新聞紙丸めて叩いても、起きへんくて。おかしいな?　おかしいな?と思ったら、なんと！　死んでましたんや！」

みんな大爆笑。おばあはボケ始めていると思えないくらい、ハキハキしゃべっていた。

おばあは続ける。

「死ぬときには子孫を残そうとして、ちんちんが立つって言いますやろ？　わたし、どうしても気になって気になって、おじいさんに申し訳ないと思いつつも、確認しましてん。そしたら……、もうダメでしたわ。見るのが遅かったのか、ふにゃあとしてて、おじいさんが『すまんな』って謝ってるみたいで。わたし、思わず吹き出してもうて！」

この日いちばんの爆笑が起こる。

「ばあちゃん、仏さんの前で『ちんちん』はないわ、『ちんちん』は！」

なんてみんなつっこんでいた。けど、みんな楽しそうだった。他にもおばあは、スズムシを飼っていたおじいが、アル中で手が震えすぎていたため、餌の入った皿を虫かご内へ入れたときには、もう皿には何も入ってない話でも爆笑をとっていた。

「おじいさんに気づかれへんよう、毎回、あとでわたしが餌を入れときましてん！」

会場で、泣いている人は一人もいなかった。

この弟とおばあの対照的な下ネタ話は、今も僕の心に強く残っている。我ながら、尼らしい話だと思う。

僕の2000年代の初期作や、2018年の「にんげんレストラン」で行ったパフォーマンス、《666秒の淫言》でも、僕は「まんこ」「ちんちん」を使い倒し叫び倒してきた。「下《しも》用語」のなかでもこれら無知性に感じる言葉にこそ、僕は故郷「尼崎」を感じる。僕にとっては、「膣」なんて言葉も上品に感じられる。自慢になるなんてもちろん思っていないが、僕の口から出る「まんこ」は、筋金入りということだ。

おかんが嫌がるかもしれないが、僕のもうひとりの弟である次男坊にも、ちょっと触れておく。次男坊は、僕や三男坊とは違い、生来マジメな質《たち》だった。あるいは、兄である「ふざけたがり」の僕を反面教師にしていたから、マジメだったのかもしれない。兄弟で唯一マジメだったから、次男坊は少年期から、おかんやおとんなんかから、「期待の星」と呼ばれ、将来を嘱望されていた。

だからってわけじゃないだろうし、本当の理由は今でもわからないが、次男坊は二十代で気を病んでしまった。脳がバグっちゃったのだ。僕は「この世はおかしい」なんて子供のころから思っていたから、それに合わせて「脳がバグ」ってしまうのは普通の、正常な反応だと思っている。次男坊は、現実を直視しすぎたんだと僕は思う。

尼でクソほど聞く超絶くだらない下ネタの数々は、そんなふうに「脳がバグらない」ための尼崎流の現実を見ない方法のひとつだったのではないか。僕は今ではそんなことを思っている。そういえば、メキシコ、ティファナのスラムでも、子供たちがストリップショーの真似ごとをしてふざけていた。自分の作品内に「無知性な下ネタ」を投入するとき、僕はそれを楽しむ尼人たちと、泣き崩れるおかんと、下ネタもふざけるのも苦手だった次男坊を、いつも思い出す。

《666秒の淫言》2018年／パフォーマンス
666秒間、観客を巻き込み「卑猥な言葉」「淫語」を叫び続ける。「にんげんレストラン」での松田は、ほぼ「ちんちん」「まんこ」のみを繰り返し叫んだ。

子供のころから夜が友達だった。小学校の高学年になるころにはもう、僕は朝帰りの常連になっていた。

「よっるに抱かれて〜♪……っておまえはなんぼほど抱かれんねん！」

と夜遊びが酷かった僕を、おばあは叱っていた。「よっるに抱かれて〜♪」の部分は歌。なんの歌だったか忘れてしまったので調べてみたら、久保田利伸の歌だった。意外だ。おばあは自称「ええとこの出ぇの、ハイカラさん」だった。僕はそう繰り返すおばあを、「声ガラガラの水商売丸出しババアが、何を言うてんねん！」と煙たがっていたが、おばあは本当に「ええとこの出ぇの、ハイカラさん」だったのかもしれない。もっとおばあの、おばあ自身の話を聞いとけばよかった。久保田利伸を聞いていたなんて、僕のおばあの記憶にはない。しかしもう遅い。もう本人から聞くことはできない。

そんな僕は、おばあのお叱りも虚しく、東京に出て、四十を越えた今でも超夜型人間だ。みんなが寝静まったころにやっと元気になってきて、仕事を始める。だから自然にそうなるのか、ただただ酒好きの人が多いだけなのか、僕の友達も夜型人間が多い。深夜に電話が鳴るのはザラだし、昼間と変わらないテンションでメールが届く。なかでも後輩で芸術家の毒山凡太朗くんは、ネットニュースのアドレスだけを、深夜なんかに送ってくる。そのニュースや事件の舞台になっている場所はすべて尼崎。毒山くんは僕が尼崎出身だということを知っていて、たまたま読んだであろう尼崎のニュースを、わざわざ僕へ送ってくるのだ。

２０２０年８月12日０：42
「32歳女、救急車で運ばれ『なんで勝手に連れてきてんねん』と激怒し医師を暴行」

２０２０年10月９日２：12
「『はげ、はげ、はげは嫌い』と歌った小学６年生にラリアット　55歳無職男に『器が小さい』の声」

２０２１年４月30日18：03
「自宅で入院待ちの男性死亡　待機中に亡くなる人相次ぐ兵庫」

２０２１年９月22日23：07
「55歳男、ミニバイクに乗って下半身を露出し逮捕　女性とすれ違う際減速するなどした疑い」

２０２１年11月３日23：20

「70年続く風俗店に警告　一帯閉店」

これらは、この1年ほどの間に毒山くんが僕へ送ってきたニュースの「見出し」と、送ってきた時間である。これは一部で、平均して1か月に2回ほど、毒山くんは僕へニュースを送ってくる。なかには笑えない深刻なものもあるが、まあ毒山くんの意図としては、「松田さんの故郷って、マジでヤバいんですけど〜！」ってな感じの、体のいい「先輩いじり」だと思う。尼崎のニュースを見つけて、ニヤニヤ顔でアドレスを送る毒山くんの顔を、僕は4K並みの解像度で想像できる。ここに載せなかったニュースも含め、「毒山の尼崎ニュース」の7割は下半身露出などの下ネタ事件だ。ヤクザの射殺事件や角田美代子の尼崎事件のような超絶エグすぎる事件は、「いじり」にならないと思っているのか、送ってこない。

「毒山、下ネタ好きやなあ」って僕が返信すると、「おれが下ネタを好きなんじゃなくて、尼崎の事件に下ネタが多いだけ」と毒山くんは即返ししてくる。本当に尼では下ネタ事件が多いのかどうか、その真相は措いておく。しかし、目的がいじりだとしても、毒山くんが送ってくる故郷尼崎の、「尼崎らしい」ニュースを読むのは、実は僕にとって楽しい時間だ。夜は時間が経つのが早いのに、ついつい仕事の手を止めて、読み込んでしまうのだった。

そのなかには、もう暗記してもうたやろってくらい何度も読み込んでしまったニュースもある。前記した「毒山の尼崎ニュース」のリストにある、「70年続く風俗店に警告　一帯閉店」がその一つだ。また、このニュースだけは毒山くんだけでなく、他にも何人かの友達が、僕へアドレスを送ってきた。僕の作品《奴隷の椅子》の背景でもある「かんなみ新地」の記事だからだろう。《奴隷の椅子》でも消滅を示唆していたし、おかんから聞いて事情もよく知っていたから、かんなみ新地がなくなるって記事自体に驚きはなかった。

しかし、客観的にニュースとして読むと、僕はさびしさを中心とした、複雑な、なんとも言えない気持ちになった。あとで詳しく書くが、僕が童貞を捨てたのもかんなみ新地だ。記事内で一つ驚いたのは、かんなみ新地の写真がバンバン載っていたことだ。かんなみ新地だけでなく、「〇〇新地」と呼ばれる「ワケあり風俗街」は、必ずといっていいほど写真撮影が禁止で、ネットのエロサイトなどに、たとえ盗撮の写真が上がっているだけでも、僕は驚いたりしていたから。僕は友人たちに、このあたりで撮った家族写真は、作品として発表や公表できないことを笑いのネタにしていたから。そんな撮れないはずの写真がたくさん載っていることが、かんなみ新地の終わりを告げている気がした。

尼崎には、「フーゾク」と呼ばれる、「性行為」などを商売にした店がたくさんある。全国的にも現在は、来客用の店をかまえる「店舗型フーゾク」がへり、ホテルや家などにセックスワーカーを派遣する、「派遣型のフーゾク」が増えているというが、そのどちらも、尼崎にはたくさんある。阪神尼崎駅から出屋敷駅方面へ向かう商店街の、左右にある細い路地なんかに入れば、そんなフーゾク店を簡単に見つけることができるだろう。尼崎の中でも阪神尼崎駅周辺には、昼も夜も賑わっている、そんなフーゾク店がたくさんあり、フーゾクのメッカみたいになっている。ここらを阪神タイガースが勝った日なんかにうろつけば、「今日は阪神割が利きまっせ！　いつもは1万のところを８０００円にしときますわ！」なんて客引きが話しかけてくる。まあ、僕が聞いた話ではボッタクリもあるらしいけど、登記上も「風俗店」である、いわば「表のフーゾク」たちだ。

一方、「裏のフーゾク」であるかんなみ新地は、阪神尼崎駅の駅前から「普通の」アーケード商店街を、出屋敷駅方面へ抜けたところにあった。神田南通《かんだみなみどおり》にあるから「かんなみ新地」。「〇〇新地」とは、「裏のフーゾク」である店たちと、その場所の総称と言っていいだろう。かんなみの店は20店舗くらいか。それらの店は、登記上は喫茶店とか小料理屋になっていて、ちょんの間とか青線などと呼ばれる類のもの。「表のフーゾク」とは歴史も趣も異なっている。一階のオバハンと交渉して、二階でオネエチャンと「自由恋愛」をする。オバハンは明るく接してくれるが、「表」と違って値段の交渉などはできない。

店の営業は夜だけ。「自由恋愛」って言っても、二階で何をやっているかは尼崎の中学生以上の人、全員が知っている。僕は小学生のころには、もう知っていた。日本でいちばん有名な新地は、大阪の西成にある「飛田《とびた》新地」だろう。大阪には飛田を入れて、五大新地なんて呼ばれる「新地」が他にもある。コロナ禍でのかんなみ新地は、以前からあったであろう住民の負の感情が爆発したせいもあってか、閉店状態だった。それが引き金となって、行政指導という名の権力も介入し、消滅へ向かっていった。僕は新地のような場所は、いつかは「見えなくなる」と思っていたが、それが新型コロナによるものだとは、想像もしていなかった。

前述したとおり、僕は「かんなみ」で童貞を捨てた。僕が「自由恋愛」して童貞を捨てた正確な年齢は、得意のごにょごにょごにょとしておくが、これは90年代中ごろの話だ。ちなみに、そのときの尼にはもう一つ「新地」が残っていたらしいが、僕は知らない。当時の僕らの間では、「かんなみの自由恋愛」は、度胸試しのようでもあり、尼崎流成人の儀式のようでもあったと思う。かんなみ新地で童貞を捨てるということが、伝統としてあったのだ。

まわりの大人たちが、知っていたかどうかはわからない。アフリカのマサイ族は、十五才くらいでライオンと戦うのが通過儀礼らしいし、それぞれの土地で、オリジナルの成人式があってもいいと僕は思う。自由恋愛うんぬん童貞うんぬんは措いといて。まあ、今では淫行条例なんかで厳しいだろうから、なくなっている伝統だろう。地元住民の同級生全員が参加しているわけではないが、「必殺流され人」の僕は参加している。みんなで一緒に行くわけではなく、バラバラで行き、あとでお互いの体験談を報告し合うのが、そのイベントの流れだった。

まず、友達と下見に行った記憶がある。下見中は、常に緊張と恐怖と好奇の気持ちが入り混じったドキドキ状態で、そのせいか、誰と行ったか顔も覚えていない。どこでどうやって、その友達と待ち合わせたかも覚えていない。しかし、誰かと二人で行ったことは間違いない。僕はとにかく心細かったから。かんなみ新地のいちばん端にある道は、学校に行ったり家に帰ったりするのによく使う道で、僕にはなじみの道だった。昼間のかんなみ新地一帯は閑散としていて、静かなもんで、それまで別に特別な感情を抱くこともなかった。その一方で、妖しさ百万点の夜のかんなみの雰囲気も、僕はわかっているつもりだった。

しかしこの夜は違った。「成人する」という邪悪にも思える目的を持っていたせいもあって、いつもの道も含め、まるで知らない街に思えた。よく考えれば、かんなみ新地周辺だけでなく、夜の出屋敷駅周辺の暗くて細い路地には、今も昔も、大人だって怖くて近づかない。僕ら尼生まれには、「コノ道、今通ッタラアカン。エライ目ニアイマス」なんていう危険察知センサーつき勘ピューターが生まれながらについているが、その勘ピューターはこの日、「ココ、危険デス」ばかり言っていたような気がする。尼では大人が子供からカツアゲるなんて普通だったし、かんなみ新地の、店が密集している内部の道は、カツアゲ現場になるような暗くて細い道ばかりなのだ。ぽつりぽつりと明かりがあるだけ。一人なら逃げていた。でも二人なら、虚勢を張り合いイキり合うことができる。これも尼生まれなら、生まれつきついている機能だ。

「なんやおまえ？　ビビってるんとちゃうんか～？」

「ハァ？　おまえこそビビってるんとちゃうんか～？」

たぶん小さな声だっただろうが、僕ら二人の間で、そんな会話があっただろう。しかし、「僕ら～何しに来たん～？」という呼び込みの薄笑いオバハンたちの問いかけには、「ああ」とか「うん～」とか、僕らはどちらも、どこから声が出るのかも忘れたポンコツ漫才師のような様子でいたと思う。そんな感じでビビりながら、これまた生まれつきの尼に多い猫背の姿勢をいつもより前かがみにしつつ、心に残っているミクロなイキり根性を振り絞り、ウイルスくらいなら肉眼で見えるんとちゃうかってくらい目をギンギンに開いて歩いた。二人ともが。

そのうちに慣れてきて、ある程度「ビビり」は薄れてきても、胸のドキドキだけは治まらなかった。胸から心臓が、「もう無理です。実家に帰らせてもらいます」って、一足先に飛び帰るくらいドキドキがひどかった。僕はそのころ、性に興味を持つどころか初恋もまだだったから、キスすらしたこともなかった。スーパーがつく童貞だ。顔も覚えていないこの日の相方だが、相方もきっと同じようなもんだっただろう。正直、スーパー童貞すぎて二人とも、エロい気持ちにはそんなになっていなかったと思う。

けれど、「初めて」の緊張はありえないくらい胸を高鳴らせた。同じような二階建ての建物が続く通りをのろのろ歩き、店の前のオバハンの奥、開いた引き戸から見えるオネエチャンと目が合うたびに、「ドキドキ」を悟られまいと、一生懸命目をそらした。あとになって、消滅する直前のかんなみには若いオネエチャンが多いと別の友達から伝え聞いたが、僕らが行った90年代中ごろのかんなみのオネエチャンは、たぶん三十から五十代が中心だ。幼かった僕らには、大人以上の大人に見え、僕らはそこに交ざろうと必死に背伸びをしていたのだ。

かんなみを一回りして、下見の時間は全部で20分くらいだっただろうか。あまりぶらぶら歩きすぎると呼び込みのオバハンに怒られるって「センパイの教え」も頭にあったから、退場だけはポンコツじゃない、潔い漫才師だったかもしれない。帰り道で歩きながら、「おまえ、誰にするか決めたんけ?」とボソッと相方が言い、僕が「店くらいは……」と答えたのははっきり覚えている。本当は、店だけではなく「その人」ももう決めていたから。

そして「自由恋愛」当日。これまた学校のセンパイの、「かんなみには他のフーゾクとちごて風呂なんてないから、よう体洗っていきや！　臭いと嫌がられるで！」とのありがたいアドバイスがあり、僕はかんなみへ行く前に銭湯へ行った。いつもより入念に、「ギブアップ！　もう垢なんて出ませんよ！」って肌が泣くくらい体を洗った。その銭湯を出て、20時か21時くらいに、僕はかんなみ新地へ向かった。この日は一人だったと思う。下見のときのようなドキドキは小さくなっていたが、今度は誰かに見られると恥ずかしい気持ちが出てきて、道中常にキョロキョロしていたと思う。この日の僕は、テニスや卓球の審判をするよりも首を振る回数が多かっただろう。それでも平静をよそおい、目の端から端まで意識を集中させて歩く。下見のときにいた「その人」が、今日もいるかどうか確認する。

「いてる！」

季節は初夏だったと記憶しているが、入った店内はとても暑かった。前述の記事なんかに写真で載っていた、消滅前のかんなみ新地の店の外側には、温暖化はここのせいちゃうんかってくらい仰々しいほどエアコンの室外機が並んでいて、どの店もエアコン完備を思わせる。でも当時はそんなふうではなかった気がする。店の外も店の中も、めちゃくちゃ暑かった。「風呂入ったのに汗だくやんけ」と思い、一張羅のTシャツ越しに、自分の脇のにおいをかいだおぼえがある。自分の体の熱が、太陽のせいではないことは自覚していた。

一階のオバハンに、その年にもらったお年玉のほとんどすべてを渡す。そのときの僕のクセだったが、パクられないために、僕は靴を持って二階へ駆け上がった。「その人」の横を素通りして。

「誰もあんたのボロい靴なんて盗りゃせんて〜」とオバハンに手を叩いて笑われたが、

「やってもうた」なんて思う余裕は僕にはもうない。上がった二階の狭い部屋の中には、「うちの布団よりはきれいやな」ってくらいの、そこそこ古そうな布団があった。僕はそれを見て、さらに体が熱くなった。僕より少し遅れて、「その人」は二階へ上がってきた。僕の友達は全員、日本人を含むアジア系と「自由恋愛」したらしいのだが、ひねくれ者の僕は、白人女性と「自由恋愛」をした。たしか、このとき白人女性はかんなみで一人だけだったと思う。本当の国籍なんて知る由もないから、もしかしたら彼女はハーフだったのかもしれない。中にいたのは全部で15分か20分くらいだったから、ほとんど会話は交わしていない。

「僕、ど、童貞ですねん」

僕は最初に、小さな声で彼女へそう伝えた。彼女はロシア人で、ベッタベタに「ナターシャ」という名前だと言っていた。それも本当かどうか、もちろんわからない。たぶん年齢は四十くらいだろう。

「二十才《はたち》？ ウソやろ？ 見えへんなあ」と、ナターシャさんが笑ったのを覚えている。わりと流暢だが、少し不思議な関西弁だった。僕は二十才という設定だったが、本当の年齢がそれよりはるかに下であることは、バレバレだったと思う。

ナターシャさんはとにかくめちゃくちゃ優しかった。

前に書いた、ホームレスのQちゃんの性教育が役に立った。

「リラックス、してな～」

その日の世界緊張顔選手権のタイトルホルダーになっていた僕に、ナターシャさんは何度もそう言ってくれた。言ってくれたその「リラックス」の発音が、外国仕込みの発音だったこともおぼえている。今も、ナターシャさんが言った不思議なイントネーションの「リラックス」を脳内再生できる。僕はアホの子だったから、このせいでだいぶあとになるまで「リラックス」はロシア語だと思っていた。「こと」がすべて終わって店を出るとき、僕はオバハンとナターシャさん二人に、深々とおじぎをした。

「舌巻いて『ルィ』。もういっちょ巻いて『ルァッ～』。そのまま『クゥ～』言って、めっちゃエロく『スゥ～～～』……『ルィルァッ～クス』や」

後の友達内での報告会で、僕はナターシャさんの「リラックス」の言い方を、みんなに伝授した。みんな爆笑していた。みんな尼崎弁で舌を巻くのは得意だったから、「ルィルァッ～クス、ルィルァッ～クス」言いまくって、笑った。

これ以降、「表」のフーゾクに行くことはあっても、かんなみでの「自由恋愛」はこれっきり。かんなみで働くそれらしいオバハンやオネエチャンを見かけても、自分から話しかけたりすることもなかった。「それらしい」と書いたが、かんなみ近くで掃除するオバハン、季節はずれのちょっと薄着のオネエチャンたちが、「それらしい」ってだけで、本当のことはわからない。

高校生くらいのころ、かんなみ新地近くの道を歩いていたら急に、「なあ、火ぃ貸してくれへん?」と、僕は「それらしい」オネエチャンに話しかけられたことがある。僕はその瞬間にたばこなんて吸ってなかったから、「たばこも吸ってへんのになんでおれ?」と尋ねたら、「持ってそうな顔してるやん!」ってオネエチャンはケラケラ笑っていた。僕は実際オネエチャンが察したとおり、ライターを持っていたので、貸した。かんなみ新地に「いる」人たちは、明るくて、普通の人たちだ。僕は心からそう思う。

僕がナターシャさんを見ることは、それ以来二度となかった。ナターシャさんどころか、ソ連やロシアへは、行ったことも関係したこともないし、ロシア人にも、ほとんど会ったことはない。けれど、オリンピックなんかの国際大会では必ずロシアを応援してしまうし、人生で初めて買ったスマートフォンを、「ナターシャ」と名づけたりもした。僕の中でナターシャさんは、これからも若いころの甘い記憶として残る。決していい話ではないのは、尼で育った僕がいちばんわかっているが、僕はかんなみ新地とナターシャさんに感謝の念がある。

かんなみ新地はなくなった。今尼崎は、かんなみ新地消滅に象徴されるように、「欲望の場所」であることをやめ始めている。「表のフーゾク」たちも、徐々に減っていく予感がある。そのうち「見えなくなる」のは確実だろう。表向き、クリーンな街へと一直線だ。

地盤ゆるゆるで海抜ゼロ地帯、公害水害もひどかった尼崎だが、阪急、JR、阪神と、電車のどれを使っても、中心部から10分くらいで大阪・梅田に行けるし、神戸へも20〜30分で行ける。交通の便はめちゃめちゃいいから、今後も「新しく住む人が、住みやすい街」へと変わっていくのだろう。

しかし、人の「欲望のかたち」を見えなくしたりすることを、僕は偉い人のいうところの、「浄化」だとは思わない。セックスワーカーの居場所を奪ったり、見えなくしたりする計画を「浄化計画」だとも思わない。トップダウンで開発された、チェーン店の金太郎飴みたいな人工的な香りがする街を、「きれいな街」だとも思わない。そもそも、尼崎のまわりには、条例でパチンコ屋すら造れないようにして、「上品な街」なんてブランディングを進める街がもうすでにたくさんある。

一方、その人たちの欲望を引き受けて、いわば彼らが自分の街で見たくない「恥部」を引き受けて、下品だなんだと指さされながら、発展してきたのが尼崎だ。そして歴史的に、欲望の解消ができないような地域は自殺率が上がるといわれている。陸の孤島のようなニュータウンなんかの話だ。つまり、阪神地域一帯の自殺率の低下に貢献し、みんなの平和を守ってきたのが尼崎なのだ。どっちが「上品」で、どっちが「下品」やねん！

僕は「新地」のような場所が是か非かジャッジする気はない。マジョリティーが嫌だって言い、権力者が「浄化」を進めるなら、「見えなくなる」んだろう。しかしこの先尼崎が、一見きれいな理想郷に見えて、「なくなる」人が増え続ける地獄のような街には絶対なってほしくない。なくなったものは、二度と戻らないのだから。

謝罪人生

「人をムカつかせる天才」と僕を称したのは、別居して、永遠の離婚寸前状態の妻である。

「……すみません」。

最近僕の家に泊まった友達が聞いた、僕の寝言がこれ。天才と称されるくらいだから、僕はそこらのムカつかせ屋とはレベルが違う。夢の中の住人すらムカつかせている。その上、天才的無意識で相手をムカつかせてしまったあとには、必ず言い訳をしてしまうというカスな習性も兼ね備えているので、僕はきっと、ムカつかせ界で不滅の大記録を保持している。この間など、新型コロナのための2回目のワクチンを受けに行って、全員がきちんと並んでいる列へナチュラルに横入りしてしまい、「あなた！　ちょっとおかしいんじゃないですか！」と、気づいたらもうオバハンに怒られていた。シーンとしてしまった会場で、僕はオバハンに謝った。

個人だけでなく、世間様に謝罪したこともある。僕は少年時代、二度鑑別所に収容され、様々なところで謝罪を行った。それについて書く前に、ひとつだけ書いておきたい。

僕は不良やアウトローといった類《たぐい》ではない。ルールや決まりに対して無思考に従う人よりも、僕はある意味彼らを尊敬している。しかし、僕はそんなふうには生きてこれなかった。僕が知る限り、不良やアウトローという生き方を自ら選んだ人たちは、自分が気に入らないルールを守らない。なかでも特に賢いアウトローは、それぞれの「決まり」によって誰が得するかを見抜き、リスク承知でその浅ましさに反抗し続ける。程度にもよるかもしれないが、僕はこういう生き方を選ぶ人は必要だと思う。ていうか単純に、全員が従順な羊である世の中は、気持ちが悪い。そして僕は、ひつじ年生まれのせいか、反抗を社会に示すような度胸もセンスもなかったのだ。

僕は少年時代など特に、「センセー」と呼ばれる人にはへらへらと媚びを売るタイプだったと自分で思う。アウトローな芯を持つ人からは、無思考野郎どころか「教師の犬」として蔑まれるタイプだ。だが生来の子分体質も手伝い、ギャグなどを言って道化をよそおい、アウトローともうまくやっていた。まあ、姑息なお調子者。映画なら確実に脇役で、いちばん最初に殺されるか、うっかり自分だけ生き残るかってやつ。そんなやつだったからこそ僕は、親分肌で、自立した精神を持つアウトローを尊敬している。けれど、隠しきれない育ちの悪さが、背筋にも歯茎にも態度にも表れるのか、よく一緒にされて怒られた。一緒にされて心外だと思うのは、アウトローの人たちだっただろう。

違いを簡単に書く。僕にとっては大事なことだ。たとえば、必ずネクタイをしなければならない校則の学校に通っているとする。するとそこには、「こんな校則はおかしい」、「意味のないものには従いたくない」、「ムカつく」、などと考え、反抗的にネクタイをしない人がいる。その一方で、「あ、また忘れてしもた」と、ほとんど病的にだらしなくて、ネクタイを忘れる人がいる。先生に怒られるのは一緒だ。僕は圧倒的に後者だった。個人的に、タチが悪いのも後者だと思う。信念もないのに繰り返す。反抗する気もないのに人をムカつかせる。いつの間にか警察にパクられる。

そんな僕のパクられの一度目は、パンダ模様の……車を燃×××……、つらつらと罪状など書こうと思ったが、なんだかとても意味のないことのように思えてきたのでやめる。結果だけ書くと、一度目も二度目も示談で許してもらうなどし、少年院には行かずに済んだ。それまでも、主に深夜徘徊中に補導されたり指導されたりしたことはあったが、僕は何も考えてなかったに等しい。捕まってからやっと、後悔したアホの子が僕だ。それも二度。僕ら兄弟はおとんから常々、「この世はなあ、捕まらんかったら、な〜にやってもええんやで！」と教育されてきた。あれはしてはだめ〜、これはいい〜、などと理由を詳しく話されることなくいろいろ禁止されるよりシンプルで、よい教育方針だったと僕は思う。「何をやってもいい」というスケールの大きさも魅力だ。だから僕ら兄弟は、そう言われるたびに「この世」へ興奮していた。でも、同時におとんはしっかりクギも刺していた。

「人生1回しかないからなあ。なんでもやって死んだらええわ。でも、パクられるのだけはやめとき。ほんまにあかん。一生ついてまわんねん。家族にもやで」

一度目に捕まったパトカーの中で、僕はそう繰り返すおとんを思い出していた。だからまず最初に心の中で謝ったのは、おとんだったと思う。一緒にパクられて乗っていた友達が、

「パトカーってええシートつこてるよな」と僕にささやいてきたが、僕はそういったイキった態度をせず、黙って下を向いていた。心の中でのおとんへの謝罪のあとは、すべてを「どうでもいい」と思う気だるさが僕を支配していた。

僕の二度の収容中二度とも、おかんは金もないのに弁護人やら面会やら走り回ってくれた。そして面会でも家庭裁判所でも、「社会に貢献できる人物になれるよう、私が性根から叩き直します」と、何度も練習したであろう丁寧な言葉で言い、涙を流し、深々と頭を下げ、いろいろな人に謝った。当然僕も謝罪しまくった。しかし正直なところ、このころの僕が後悔はしていても反省していたかどうか、僕にもわからない。おかんに感謝していたかも怪しい。

「あんたのせいでウソ泣きがうまなったわ」と、のちにおかんは笑いながら言った。僕はウソ泣きではなかったと思っているが、そんなおかんに僕は感謝や謝罪の態度を見せるどころか、当時ほとんど反応しなかった。ひたすらだるそうだった自分に、今なら往復ビン

タをくらわしたい。

では、当時そんなだった僕は、サイコパスなモンスターだったのかというと、僕の感覚では違う。人通りの多い駅前なんかでも、かっぱらいや引ったくりなんかが日常的に発生するような街の空気に流されるまま、僕の倫理観や道徳観が、「一般的」なものから外れていたことは間違いない。そして、自分の未来が明るいものになるような気は、まったくしていなかった。安月給でつつましく暮らしていくことはアホらしく思え、「オモロく」暮らせれば、多少パクられてもいいくらいに思っていた。おとんの忠告もむなしく、大事件にならなければ警察にパクられても、この「クソみたいな人生」がそんなに変わるとも思っていなかった。まあ、ろくなもんじゃないと今は思えるが、もしも僕が芸術に出会わなければ、僕は今でもそんなふうに考えて暮らしている可能性が高い。そんなふうに暮らしている友達は実際に尼にいて、彼らは僕の分身なのだ。僕と何も違わない。

そんなろくでなし少年の僕を、おかんは決して見捨てなかった。のちに少年院に収容された経験を持つ人物に聞いたところによると、僕が少年院に行かずに済んだのは、単独犯ではないことの他に、おかんの、僕を更生させようとする態度のおかげだという。

二度目に捕まったとき、警察署だったか裁判所だったか場所は忘れてしまったが、「前科がつかなくても、写真などの記録や書類はずっと残るからな。一生忘れるなよ」と、警察官のオッチャンに強い口調で言われたことは、今でもはっきり覚えている。僕が罪を感じることができた、ありがたい言葉でもある。

鑑別所は「鑑別」するための場所であって、少年院のような「矯正」する場所ではないというが、僕のようなろくでなし少年にはしんどい生活だった。朝は早い。布団は超きっちり畳まねば教官に怒られる。他には、なにか行動したり誰かと話したりするときに、いちいち挙手をするのだが、これは気づかないうちにクセになってしまい、東京に出て友達に指摘されまくったが、三十路過ぎまで直らなかった。キリスト教のお祈りも暗記した。これは強制ではなかったんだけど、覚えるといいと教官か誰かに勧められた気がする。

「チチトーコトーセイレーノミナニヨリアーメン。テンニメシマスワレラガチチヨ……」

今でもなんとなく覚えているが、意味はわからず本当に丸暗記しただけだ。写経のようなこともした気がするから、当時の鑑別所内の宗教観はぐちゃぐちゃだった。作文を書かされたりした記憶もぼんやりあるが、何を書いたかは覚えていない。

一度目は1か月半、二度目は1か月弱、いたと思う。所内では、何人かの収容者と一緒に生活した。他の鑑別所経験者に聞くと、だいたい個室らしいのだが、僕は二度とも集団部屋だった。挙手してしゃべるのもそうだけど、たぶん外で収容者同士がつるまないように、個室なのだと思う。勉強などを教えてくれる教官は優しかった。友達に聞いた少年院のような、厳しい指導みたいなのはなかった。施設は超清潔で、歩くと「ジャリッ」と何かを踏む感触が常にする実家より、断然きれいだった。面会を含めたほとんどすべての行動に監視がついた。当然、自由はない。そんな自由のない場所で、僕が毎日「何を考えていたか」、実はほとんど思い出せない。

このような二度の鑑別所収容経験で、その後の僕に何も変化が起きなかったかというと、手を挙げてしまうクセ以外にも確かな変化があった。それは、他人に対して「正しいか正しくないか、悪いか悪くないか」といったジャッジを一切しなくなったということだ。できなくなったと言ってもいい。自分の行動や言動を自分でジャッジすることはあっても、他人にはしない。

そうなった原因の一つは、罪人意識からくるものだ。つまり、罪人の僕が誰かをジャッジする違和感が、心の中に生まれたからだ。もう一つは、正直、「罪」とはどういうものなのか、よくわからなくなってしまったのだ。自分が決められたルールを犯してしまった事実は理解して、迷惑をかけた人に謝るのはわかる。しかし「社会」に謝罪を繰り返すうちに、いったい自分は何に謝っているのかが、よくわからなくなってしまった。そして、それぞれ違う背景やそれぞれ異なる真実を持つ他人のことを、すべての他人を、自分にはわかるはずがないとある意味悟り、「犯した罪」について考えることを諦めてしまったのだ。一つ目と少し矛盾している気もするが、僕の中でこの二つは両立している。

万引きを繰り返す他人も、不倫をしまくる他人も、遊びで思いついた詐欺を実行に移す他人も、危ないおクスリをやる他人もそれを売る他人も、そして、自分の未来に絶望してつつましく暮らすのをやめ、リスク承知で悪事に手を染める他人も、今に至るまでに会ったことがある他人だが、僕は「正しさ」をジャッジをしない。ガンジーに「行動せよ」と諭されても、ジョン・レノンに「想像せよ」と促されても、僕は「無理です」と断る。とにかく僕は二度の収容以降、ジャッジすることから降りたのだ。僕自身が他人にジャッジされることは、受け入れる。

こういった僕の、ほとんど共感を得られないであろう心情を、具現化した作品がある。《ごめんなさい。》というタイトルのビデオ作品。英題は、《All human kinds, I'm sorry.》。２０１４年に制作した。日本では考えられないかもしれないが、アメリカでは実際の犯罪者に、インタビューを行ったりしている。その中で死ぬまで謝罪しなかった死刑囚を選び、そのインタビュービデオの動画、音声を再編集して、彼らの声で、「ゴォ〜メンナサイ」と、日本語で謝罪させている作品だ。さらに、２０１８年には同じやり方で、《生れて、すみません。》という作品を制作した。これは太宰治の有名な一節から引用したセリフで、この年死刑が執行された麻原彰晃にそれを言わせ、ビデオ内で土下座させた。

被害者を思い、作品が持つ、僕のふざけた態度に憤りを示す人もいるだろう。ただもう彼らは、「死ぬべき存在」として、「存在してはいけない人間」として、社会からジャッジを下されている。「生まれないほうがよかった存在」と禁忌視する人も多いと思う。しかし有史以来、人殺しも罪人も、ゼロになったことはない。人間社会が、こういった存在を再生産し続けている「現実」がある。僕のような前科にならない罪も、どこかで再生産され続けている。僕は、おかしいのは人ではなく、その「現実」なのだと考えている。そして僕は芸術が、その時代その時代にある現実を、残す役割を担っていると考えている。100年後、1000年後の人に、美しく楽しい現実だけではなくて、そのときそのときにあった、ある意味どぎつい現実も、残さなくてはいけないと思っている。なんなら日本でも、罪人や刑執行の様子、性行為も自慰行為も、葛飾北斎パイセンや歌川広重パイセンたちが描いて残しまくっているから、特別なことだと僕は思わない。

そして僕が残したいのは、どぎつい現実でふざけまくる、「尼人の現実」だったりするのだ。マジメに見つめすぎると狂うか死ぬかの現実で、ふざける隙を見つけるのが僕の芸術だ。たくさんの人に賛同を得られなくても、誰かひとりの救いになれば、その現実、その芸術は残ると、僕は信じている。

謝罪についてもう少しだけ書くと、僕が今までの人生でいちばん怒られ、いちばん謝っているのは……、この項の冒頭に出てきた、別居して永遠の離婚寸前状態の妻なのだろう。結婚前にストーカー被害に遭っていた妻に、対策として舌を巻く尼崎弁の「しばくぞコラァ!」を教えたら、言われたのは僕だった。家に飾る花を買ってくるよう頼まれたら、何度チャレンジしても仏花を買ってきてしまった。同業者である妻が2週間家に帰ら

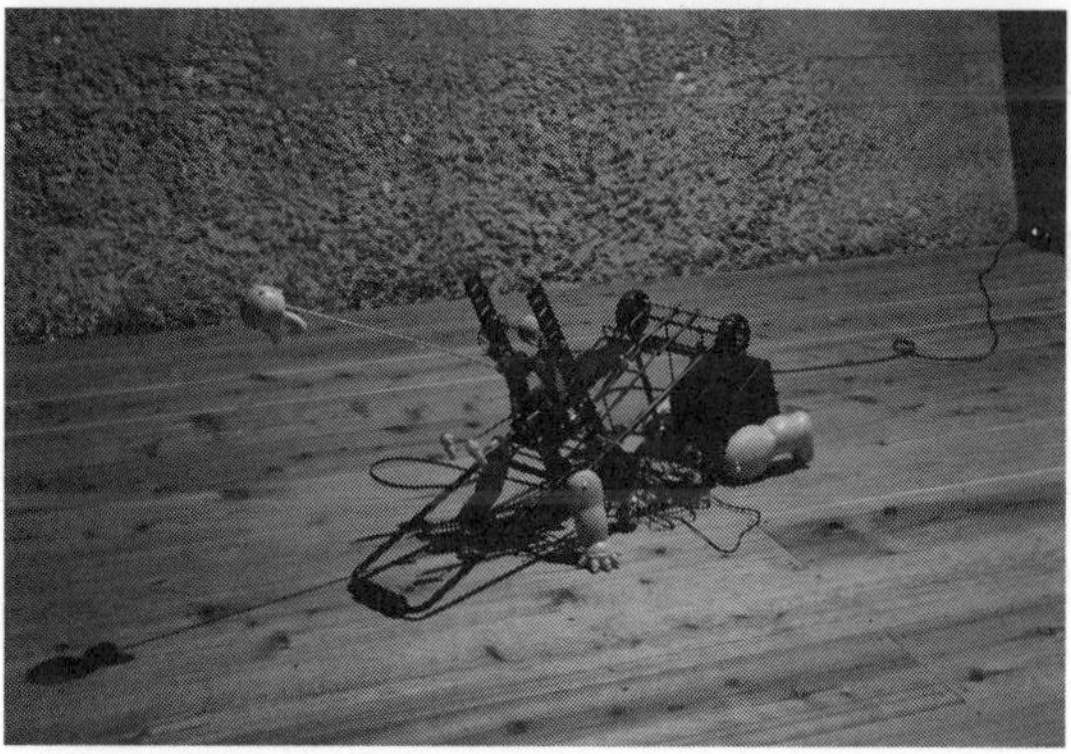

上・《ごめんなさい。》2014年／ビデオ

中・《生れて、すみません。》2018年／ビデオ

下・《無人謝罪装置むじごめくん》2020年／ミクストメディア

松田の作品上での「謝罪者」たちは、不完全な世の中の象徴としてあつかわれている。「有史以来、彼らのような存在がいなくなったことはない」と松田は言う。

写真＝森田兼次

なかったときには、「展覧会で忙しいんだなあ」なんて呑気に構え、「家出したんだよ。気づいてよ」と悲しそうに怒られた。それらのエピソード以上に、「そらぁボンボンやんけ」「頭キテるやんけ」「アホちゃうか」「カスちゃうか」が、つい口からポロッと出てしまう「クズ尼人」の言動で、彼女はきっとたくさん傷ついてきただろう。この場を借り、あらためて謝罪する。いろいろ、ごめんなさい。

そう書きながら、僕は先の二つ以外にも「謝罪」でふざけてまくっている。下ネタ作品ばかりを作っていた活動初期の２００８年には、《土下座チオ》という土下座しているのかフェラチオしてんのかよくわからないビデオ作品を作った。最近では、《無人謝罪装置むじごめくん》（２０２０年）という、自動で謝罪を繰り返す機械仕掛けの謝罪装置を作った。もはや謝罪という儀式自体が、僕を信用してくれるものとして機能していない気もするが、これからも誰かの気を悪くさせれば、僕は謝り続ける。

クズ寄りのカス

全知全能の神様、「我らが父」ですら、世界を創って7日目には休んだって話が、僕は好きだ。僕のような怠け者は、毎日でも休む理由が欲しいから、神様ですら休んだんだからって、安心して休みまくれる。週休二日なんて、少なすぎるくらいだ。それでいうと、無知無能のおとん、「我が父」は、毎日休んでいる。嘘かホントか、生まれてから一度も働いたことがない、というのが自慢の父である。僕が子供のころ、阪神尼崎駅や出屋敷駅の前には、労働者たちの送迎バスやバンが朝夕来ていて、夕方、僕は友達が親を出迎えに行くときなど、つきそいでついていったりしていた。しかし、自分の身内であるはずのおとんを仕事の送迎に行くなどといった経験は、一度もない。

送迎の要請はなかったおとんだが、僕が小学校高学年になるくらいには、「雀荘へ来てくれ」と電話で僕を呼び出すようになった。その雀荘は、三和の商店街の裏にある、蹴ったらくずれるんとちゃうかっていう、今はもうないビルにあった。そんなときは、今流れが悪いからと代打ちをさせられ、「100万円かかってるからな〜」と耳もとで笑いながらささやかれ、肝が絶対零度に冷え込んだのを覚えている。今なら100万円かかっているのは500パーセント嘘だとわかるが、当時の僕には見抜けなかった。そんな嫌な場所に僕がなぜ足を運んでいたかというと、打碑の速度とチョンボにはえげつなく厳しいオッチャンオバチャンが、行けば必ずお菓子をくれたからだ。おとんも、勝っても負けても帰り道にアイスなんかを買ってくれた。僕はそれらだけを楽しみにして駆けつけていた。そうでなければ絶対に行かなかったと思う。

工業地帯の尼では、変な「臭い」に出くわす機会がしょっちゅうあったが、この雀荘の、独特な臭いは今でも脳が覚えている。世の中のにおいというにおいのドレミファソラシドが、全部揃っていた。人間が出すあらゆるクッサイ臭い、うまいのとまずいのとの両方のメシの匂い、消臭剤や芳香剤のややいい香り、それら全部が合わさった結果、悪臭になっていた。

おとんは昔から、家にも帰ってきたりこなかったりの神出鬼没な人で、今でも、どうやって生活しているかは謎だ。まあ、「住所不定、無職」が服着て歩いているのが「我が父」おとんだ。小さいころは、なにかと口うるさいおかんよりも、たまに帰ってきて、布団をかぶって幽霊のマネなどする「オモロい」おとんが好きだった。連れていかれる場所が、スーパーのダイエーばかりだったおかんよりも、船や馬を見せてくれるおとんといるほうが、数百倍楽しかった。

しかし、物事の道理が少しずつわかってきた、中学に入るころくらいには、僕は我が家の貧困を中心としたイカれたすべての元凶が、おとんであると感じ始めた。おばあがボケたのも、そのおばあが通りを裸で歩くオッチャンの背中の菩薩様を拝むようになったのも、全部が全部おとんのせいだと思っていた。反抗期ってやつも手伝い、僕はもはやおとんを、おかんにタカるしか能のない「うんこ製造機」くらいにしか思っていなかった。またそれも、ちょうど僕がうんこをしようとするときに限って「製造」しているから、余計に腹が立った。

あとから気づいて一番腹が立ったおとんとの思い出は、「お年玉」だ。おかんがホステスという客商売をしていたおかげで、僕は幼少期、子供としてはそれなりの額のお年玉をもらえていた気がする。小学生になるかならないかくらいで一人1000円くれたとして、少なくとも全部で5000円くらいはもらっていたと思う。おかんのいない所で、そんな幼児におとんはこそこそ近づいてきて、「しゃ〜ないな〜。今日は赤字出血大サービス。おとうさんが君のお金を増やしてあげよう。おかあさんにはナイショやで」なんて甘くささやく。僕は、「わ〜！　おとん、ありがとう！」なんて言って、めちゃくちゃ感謝していた。そして、持っていたすべての千円札を、ジャリ銭と交換させられていた。その時期の僕は札よりも、たくさんのジャリ銭のほうが価値があると思っていたのだ。たぶん5000円は、毎年700円くらいにトレードされていた。何度かのインチキトレードを経て、僕がようやくお札の価値に気づいた小学生の中ごろ。僕は当然、「おとん！　僕、ずっと損してたんとちゃうんか！　最悪やんけ！　今まで僕が損した分、かえせや！」と鼻息荒く訴えたが、差額は返ってこなかった。代わりに、「お〜。大人になったんやなあ。おとうさん、うれしいわあ」などとまったくうれしくない褒め言葉をもらった。そう言うおとんの顔は、うれしそうではなく、とても残念そうに見えた。

おとんは金に汚い。が、少しだけかばえば、それはおとんに限ったことではなくて、多くの尼人にも当てはまる。僕の独断と偏見で書けば、特に阪神電車沿線の尼崎、阪尼の人には多く見られる傾向だ。たとえば、僕は大阪や西宮なんかでもカツアゲというか、金をたかられた経験があるが、それはたいてい若い人で、オッチャンやオジイチャンレベルの「大人」にたかられたのは尼崎だけだ。それも何度も。

今現在でも帰郷して4回に1回は、「オニイチャン、ドッカラキタン？」、「オニイチャン、ナニチュウデテンノ？」、「ヨカッタラオッチャンニ、100円カシテクレヘン？」と道々、気さくに話しかけてくるオジイチャンに会う。本当に100円渡すと、いつの間にか晩飯までたかられることになるから気が抜けない。でもこういう人たちは、カネカネ毎日言う金の亡者という感じでもないから説明が難しい。まあ、おとんもそんなタイプだ。いわば、彼らはお金に支配されない人生を選んだ代わりに、お金に意地汚くなっているというパラドックスを抱えているのだ。

そんなおとんにふいに感心させられ、恨むような気持ちがなくなった「事件」がある。阪神・淡路大地震を経た、中学生の終わりくらいか。とにかく「働かないおとん」に対して怒りと侮蔑の思いがピークに達していたころだと思う。そのような時期に、僕は学校の宿題で悩んでいた。お題は「将来の夢」だった。まわりの友達が書いていたのは、ボクシングの世界チャンピオンとか、阪神タイガースの選手とか、お笑い芸人とか……、社長とだけ書くやつもいた。当時の僕は適度にひねくれていて、そういうものには絶対になれないと信じ込んでいた。だから、ボクシングのチャンプと書いたやつには、「おまえ、学年内でもケンカ弱いやんけ！」。プロ野球選手と書いたやつには、「グローブ持ってへんやんけ！」。芸人と書いたやつには、「笑ったことないねん！　おまえのギャグぅ〜！」。社長とだけ書いたやつにはシンプルに、「アホ！」とやった。

そのせいで、自分の夢を書くハードルを、上げまくるミスを犯していた。なにより、そのころの僕にはやりたい職業なんて、本当になかったのだ。学校で書くことができず、家に持ち帰ってもそれは変わらず、普通の脳よりもしわが少ない脳にしわを寄せ、うんうん考えるのだが、まったく書くことができない。そんなうんうん中に、事故物件の幽霊よりも家に姿を現さないおとんが、めずらしく家に帰ってきて、おとんが歌うテキトーな鼻歌にまずイライラしたあと、将来のことなど考えていないであろうこの地上最低の生物に、「将来の夢」を聞いてみたい欲求が生まれた。もちろん意地悪な気持ちからだ。

「おとん、あんな〜相談というか、聞きたいことあるねん」

「おお、なんやねん。借金の申し込みならお断りやで」

「……おとんに金借りる相談は、一生せんと思うわ。そんなんちゃうくて、今学校の宿題やってんのやんか」

「ほう」

聞いてんのか聞いてないのかいまいちわからないおとんの態度にイラッとくるが、ここは我慢した。そして、少なくとも尼崎一挑発的な顔を作り、僕は聞いた。

「内容はな、あなたの将来の夢はなんですか、っちゅうやつやねん。ほんでな、参考にしたいねんけど、おとんには、将来の夢とかあんの？」

僕は、おとんを全力でバカにしにいった。働いたこともないおまえに、生きている価値もないようなおまえに、なんか夢とかあるんですか？　どうなんですか？　やりたい仕事なんてあるんですかぁ〜？って感じで、めちゃくちゃ腹立つ態度だったと思う。仏が見ても一度目でしばくぐらいには。そんな僕の画策を知ってか知らずか、おとんは少しためて、「……あるで」。そう答えたのだった。僕は、おとんを困らせるために聞いたのに、おとんは微塵も困った様子がない。それどころか、よくぞ聞いてくれました、といった感じだった。あれ？　アルデ？　それって「ある」っていう日本語で合ってる？　おとんに？あるの？

「え？　ほんま？　嘘やろ？　……どんな夢やねん」

今もそうだが、想定外のことが起こると、僕の頭のコンピューターはすぐバグる。バグった息子にかまわず、おとんはにやりと笑い、自信に溢れた声でこう言った。

「一生遊んで暮らしたい」

「え？」

「おれの夢は、『一生遊んで暮らしたい』や」

僕は、「将来の夢」というのは、職業を書かなきゃいけないと思い込んでいたから、一瞬、なんか長い名前の職業言っているなあと聞き取れなかった。そして、じわじわと脳に「一生遊んで暮らしたい」が刻まれていった。ああ、そうか、将来の夢ってのは、別に職業とかじゃなくていいのか……、しかもコイツ……、現在進行形でめっちゃ叶えてるやんけ！

「おとん！　すごいやんけ！」

その後の会話は覚えていない。僕はなんだか感動したし、たぶん生まれて初めておとんに感心したことだけを覚えている。このときだけは、「うんこ製造機」からええこと言う「人間」に格上げされていた。きっと、無職なのにおかんの気持ちを射止めたのは、こういうところだろう。キリストやブッダもこうやって弟子を集めたんだろう。その後もおとんにイライラすることは多々あったが、とにかく僕はこの日から、野球少年が人生を賭けてプロ野球選手を目指すように、おとんも人生をかけて遊んでいるんだと理解した。あぁ、おとんは無職界のランディ・バースや掛布なんやと。もはや余談だが、このあと僕は宿題に、「東京へ行く」とだけ書いて、まわりの友達に「なんや、オモんな！」と、ひんしゅくを買ったことも書いておく。

ここらへんでおとんだけでなく、そんな僕の「我が家」のルーツに触れておく。おかんの、母方のひいおじいが東北のほうの漁師だったと聞いた。超絶下手打って地元にいられなくなり、家族で夜逃げしてきたのが尼崎だと聞いている。夜逃げも含めて、ネガティブな理由で流れ着いた家族はまわりでも聞いたことがあるから、まあ特別なことではない。前にも書いたが、ボケたおばあはよく、「うちは名門の、ええとこの家で〜。うらやましがられるような家やったんや。私は、当時めずらしいミッションスクール系の学校を出たんやで〜」と自慢げに言っていて、ミッションケイってのが何かもわからず、僕はとりあえずうなずいていた。

中学生のころにおじいが死んだあとは、おばあは僕らと一緒に住んでいたのだけれど、これ、ボケてからは毎日3回は言っていた。僕は心の中でいつも、「今は誰もうらやましがってへんけどな」とつっこんでいた。この、母方の、東北から逃げてきたおばあのほうが、尼の由緒正しいビンボーホステスの家系で、僕の知る限りそれは、ひいおばあから始まっている。尼崎の工場で働いていたおじいが、そんなホステスをやっていたおばあを口説いて一緒になり、おかんが誕生した。

父方は……、おとんの話では、九州から単身出てきたとか、十人兄弟の末っ子とか、島原の乱の際の焼け野原に、「ここ、お〜れんちっ！」ってどさくさに紛れて家建てたのが始まりとか、三代前はオランダ人とか、いろいろ聞いているが、僕は全部嘘だと思っている。僕は父方の親戚には一切会ったことがない。

「おまえはな、東北人と九州人のハーフやねん。両方昔は日本じゃなかったんやで」としきりに言われた覚えがあるし、サッカーのJリーグを「ゼーリーグ」って発音するから、おとんが九州出身であることだけは、本当かもしれない。まあ若いころ、ふらっと尼崎へ出てきて、母方のおじいと同じようにおかんの働いていたスナックに出入りし、おかんを口説き、なんやかんやあって僕が誕生したってところだろう。

まあ、実際のところ、おとんおかんの昔の話を、自分から聞こうと思ったことはほとんどない。というか、もはや僕のクセみたいなものなんだが、人の過去を根掘り葉掘り聞く気があまり起きないのだ。ご先祖さまあっての僕なので、両親の過去に興味がないかと言われれば、「ある」のだけれど。これも、スネに傷がありすぎて、傷だらけのフランケンシュタインの怪物ですら目をそらすような人が多い、尼崎で育ったからかもしれない。他人のえげつない過去をうっかり聞いてしまって、気まずくなってしまったことが何度もある。だからか、尼では自分のことを面白おかしく話す人はめちゃくちゃいても、他人の過去をしつこく聞いてくる人はあまりいない気がする。

友達で、元カリスマホスト、今は東京の歌舞伎町でたくさんの商売を営む手塚マキさんが、「歌舞伎町の人たちは、お互いがお互いに興味がなかったりする。だからこそ、多様な人が集える街になっている」といつか言っていたが、尼もそういうところがあるのかもしれない。半面、内弁慶というか、実はシャイな人も多いので、よそ者に厳しかったりもするのが尼人だ。そして、興味ない者同士で上手くやるためのコミュニケーションの果てなのか、結局いつも「その場のオモロさ」ってのが大正義だ。

そう考えていくと、僕がたびたび作る、シンプルに言い切るだけのビデオ作品は、崇高や至高を目指して要素をへらした表現というより、興味ない者同士の壊れたコミュニケーションを前提とした、「オモロいの一方的な押しつけ」を表現している気にもなる。尼崎出身の芸人である、「大阪名物パチパチパンチや！」って灰皿で体を叩く、島木譲二と同じ地平にいるような気がする。２０１８年の、僕が夕食を食べている様子とニュース番組で読み上げられる殺人や死亡という言葉とを24日間ビデオ記録した《24/7（Twenty-four Seven）》も、コロナ禍前に制作した、撲滅に向かっているウイルスや細菌がさよならの挨拶をする《Enemies》（２０１９年）も、上中下右左《じょうちゅうげみぎひだり》の概念を呪詛のようにあつかった《呪い》（２０２０年）も、共感し合えない関係から発生する孤独や悲哀を感じる。「オモロいの押しつけ」がある。思えばおとんはそんな存在だ。

おとんは、金に汚く、働かず、おまけに根性もない。要するにクズ寄りのカスなのだが、でもまあ、どこか笑える。そういう隙のある人だ。その隙に、救われるときがある。大変なときに笑わしてくれる。共感を求めない「悲しき押しつけ」でも、表現の仕方次第ではそんなふうに「笑える」ことを、僕はおとんに教わったのかもしれない。

上・《24/7(Twenty-four Seven)》2018年/ビデオ

下・《呪い》2020年/ビデオ

十四歳のころ、左胸にクソダサい刺青を入れた。直径15センチ弱の蜘蛛。その蜘蛛の腹には、当時好きだったLAのバンド、GERMS（ばい菌）の青いロゴが入っている。実は、輪郭を彫る「スジボリ」の段階で痛すぎてアホらしくなり、未完成で終わっている。そもそもは、同級生の友達が、イキり度MAXのセンパイから、刺青を格安で入れてくれるオッチャンの話を聞きつけ、みんな入れるというので、僕も入れることにしたのだ。聞けば、ほとんどの友達が竜とか虎を入れるという。だから僕は、「イキった方向性」は変わらないにしろ、それとは被らない何か違うモチーフをと考え、蜘蛛にしたのだ。彫ってもらう参考にと、友達の家にあった虫の図鑑の蜘蛛のページを千切って、当日彫師のオッチャンのところへ持っていったことを覚えている。

十三《じゅうそう》までは行かない、これ以上東に行ったら大阪でっせというギリ尼崎の、おきまりのオンボロアパートの一室に、その刺青を彫ってくれるオッチャンはいた。まず、友達が電話して予約してくれた。で、今現在ではすっかりきれいになった、当時これまたオンボロの阪神電車で、友達と三人、先に行った友達が書いたギリギリ読めなくもない地図を片手に、そこへ向かう。オッチャンの家と思われる、チャイムのないドアをノックするのは少しだけ勇気がいった。東京でいう「じゃんけん」である「いんじゃん」をして僕が負け、僕はギリ聞こえるんちゃうか、くらいの弱さでドアを叩いた。

「ほ〜い。誰や〜」

意外にもオッチャンはイカつくない容姿をしていて、僕らみたいなクソガキにも優しく話をしてくれる、尼では貴重な「できた人」だった。

「三人今日いっぺんにやんのはしんどいなあ。大きさにもよるんやけど、自分らどのくらいのを入れる気なん？ 値段は大は1万、中は5000、小は3000ってとこやけど……」

なんとなくの説明を受けたあと、オッチャンはこう言い、僕らは揃って「小」を希望し、揃ってズボンのポケットからクシャクシャの千円札を3枚取り出し、オッチャンに渡した。オッチャンは、少し笑っていたような気がする。順番決めの「いんじゃん」には勝ち、僕が一番手。例の図鑑の切れ端をオッチャンに渡し、「彫り」が始まった。オッチャンは、細くて汚い15センチから3センチくらいの、先のほうに針のついた何種類かの棒を使い分け、チクチクチクチクチク彫り続けた。

「いったー！ オッチャンこれ、いつもより痛いんとちゃう？」

へ

「アホこけ！　おれはモグリの刺青師のなかでは尼でいちばんって噂やぞ？」

「それどないやねん……」なんて会話を僕は「彫り中」オッチャンとずっと交わし、くわしい時間はわからないが、もうあかん、もう耐えられへんってくらいのときに、「どんだけ痛がりやねん。終わりやで」と、苦笑いしながらオッチャンは言った。友達を見たら、僕の「痛がり」のせいで二人ともが、ガリガリ君ソーダ味のような水色顔になっていた。

「ここの帰りに薬屋寄って、エロくないローション買うて、しばらくの間、刺青《スミ》の上に塗っときや〜。2週間くらいしたら、うちに電話して、また来〜や〜」なんてオッチャンは言っていたが、できた刺青を見て僕は、「痛いし、もうこれでええわ」と思っていた。出来立てホヤホヤのまだまわりがほの赤い、アカチャン刺青を、家に帰っておかんに見せると、「なんでわざわざふだん見たくもない害虫、体に入れんねん！　どうせやったらかわいい花にしたらよかったやんけ！」などと軽い小言と変なアドバイスをもらった。

　後悔は今もしていない。十代そこそこの、未熟で、クソダサいセンスを刻んだ身体で生きていくということは、僕をいつでも謙虚な気持ちにさせる。この先も、どんなにいい服を羽織ろうが、どんなにおしゃれに見える作品を作ろうが、僕は一生、十代のクソガキがイキり満載で考えた、クソダサい刺青を持つ人なのだ。そりゃ謙虚になる。後悔はしていないが、ひとつだけ不満がある。僕がこの蜘蛛の刺青を入れたあと、90年代後半から「週刊少年ジャンプ」で始まった『HUNTER×HUNTER』というマンガの中に、蜘蛛の刺青を入れた盗賊団が出てきてしまった。

「『HUNTER×HUNTER』好きなんですか？」

刺青が見えるたびに誰かにそう言われるのは、今でもちょっとしんどい。妻に「アメンボ」と呼ばれるのには、もう慣れた。

そんなクソダサい刺青を持つ僕だが、上には上がいる。僕が知る限り、いちばんダサい刺青を体に入れているのは、東京で友達になった、世界を股にかけて活躍する芸術集団、Chim↑Pom from Smappa! Group（以下Chim↑Pom）のメンバーである卯城竜太その人だ。卯城くんのも十代で入れた刺青らしい。だからか、まず動機がすこぶるダサい。90年代に不良キャラで人気を博したバスケ選手であるデニス・ロッドマンに憧れて、彼が肩に入れている太陽の刺青を真似したらしい。そのロッドマンの肩の刺青は、太陽がギラギラと燃えている太陽のデザイン。一方、卯城くんの肩の刺青は、ロッドマンの10分の1も燃えていない、消えかけ死にかけのショボショボ太陽。十代のダサさすべてを表している逸品だ。

他に僕が実際見た、「卯城の太陽」に匹敵するダサい刺青は、尼のセンパイに見せてもらった「竜の目」だけってやつ。どうしても竜を彫りたいのに金がなかったらしい。そこで彫師に小銭を渡して頼みこみ、ホクロよりは大きいんとちゃうかってくらいの大きさの、竜の目のみを背中に彫ってもらったらしい。センパイ本人が直接見れないのが、また涙を誘う。でもやっぱり「死にかけ太陽」にはかなわない。

へ

そんな、ダサい刺青友達でもある僕と卯城くんは、15年以上という東京での長い付き合いのなかで、よく一緒に銭湯に行く。「刺青お断り」と表にあっても、堂々と見せたりはしてないからか、はたまたダサすぎるせいか、たいていは見逃してくれる。直接追い出されたのは3回くらいか。僕らも、まあ「しゃーない」って感じで出るんだけど、その3回中一度だけ、卯城くんが激怒したことがある。2019年に起こった「卯城スーパー銭湯激怒事件」だ。

僕らはその日の昼間、中央線沿線にある、スーパー銭湯に行った。「刺青お断り」とあったが、いつものように気にしない。卯城くんは初めての場所だったが、僕にとっては何度も来たことがある、なじみの銭湯だった。そして事件は銭湯に入って10分足らずで起こった。僕は銭湯に入るときは、恥ずかしいのもあって「刺青お断り」のあるなしにかかわらず、首からタオルをかけて、例の蜘蛛ちゃんが目立たないようにしている。同様に、卯城くんも肩の太陽をタオルに沈ませている。裸にその状態で、いざ浴場へってとき……、「ちょっとアナタ！　刺青入ってますよね！　タオルをめくって見せてください！」。着替える部屋だけでなく浴場にも聞こえるほどの、大声だった。声の元をたどると、アルバイトと思われる若い男の人が、僕へ怒りに満ちた目を向けていた。そして僕へずんずんと近づいてきて、さらにでかい声で、「決まりなんで！　退場してください！」と迫った。鬼の首どころか地獄の閻魔の首すら取る勢い。そんな顔をしていた。アルバイトの出すでかい声に、その場にいる全員が僕のほうを見ていた。

「出るけど、なんでそんな怒ってんねん。ダサい刺青にトラウマでもあるんけ……」と僕は思った。服を着なおして、出入り口に向かう。卯城くんを待つ。あとで聞いた話だが、すでに浴場に入っていた卯城くんも、浴場で僕と同じの人に「かまされた」らしい。数分後に出てきた卯城くんは、思い出し笑いができるくらい怒った様子だった。

「責任者を呼んでください!」

卯城くんは受付の人に、怒りの様子そのままの勢いで言った。「ええ!　マジで!　そんなに?」と僕は驚いた。卯城くんは責任者と思われる人へ向って恫喝するように、注意されたことはおかしい、そもそも刺青の人を排除するのは差別であるなど、懇々と20分はクレームを入れ続けた。僕は5分で、も〜ええやんけ……、と思っていた。責任者の人はずっと、「おっしゃることはわかります。でも、決まりなんで」を繰り返していた。

そのあとは別の銭湯へ行った。銭湯のあとは居酒屋で、飽きもせず、ずっと芸術談義をやるのが僕らの日常だが、この日は、「ああいうアルバイトが戦時中、『はだしのゲン』のお父さんみたいな人をいじめたり、チクったりする」、「ナンパの文句としてはいいんじゃないか?　おれらと行けば、スーパー銭湯タダになるよ!って。ただし10分で出なければいけないけど」なんて、最後まで追い出された銭湯の話をしていた。

僕らのようなもん、特にこの場合の卯城くんを、世間様は「めんどくさいやつ」と思うだろうか。決まりを守らない揚げ句にクレームを入れる、無法者だと思うだろうか。しかし、卯城くんが怒る気持ちは僕にはわかる。僕らが追い出された銭湯は、その半年後にはオリンピックを意識してか、「刺青解禁」となっていた。ひょっとしたら、卯城くんのクレームも関係したかもしれない。アルバイトの彼は、今どんな気持ちで刺青の人たちを眺めているだろうか。

「卯城スーパー銭湯激怒事件」が象徴するように、これまでの人生において、僕には自分で決めたわけでもない「決まり」が、よく立ちはだかる。めんどくさくて、初めから守る気もあまりなかったからかもしれない。だから小さいころから、「決まりだから」の一点張り人間とは相性が悪い。そのせいか、「決まりだから」と言う人物に対して、僕は不良のように反抗せずとも茶化しまくる、「へ理屈」ばかりを言うような人間になってしまった。へ理屈自体への信頼も厚い。へ理屈教のへ理屈信者。それが僕だ。まあ、「超めんどくさいやつ」ってことだ。そんなへ理屈エピソードに、僕は事欠かない。

「それ、法律違反なんけ?」、「証拠は?」。「いつのことやねん。何時何分地球が何回回ったころやねん」なんてお決まりの、正に「屁」のようなへ理屈はもちろんのこと、「タバコの前に車の排気ガスをなくさんかい! あっちのほうが有害やんけ!」や「おれは好き嫌いしとんのとちゃうねん。植物全部を体に入れとうないだけやねん。そのへんの雑草は嫌い〜、八百屋にあるほうれん草は好き〜って、好きや嫌いや言うてんのはおまえらちゃうんけ！」なんて、言われた人が「もうかかわりたくない」顔になるへ理屈ものたまってきた。

そんな僕は、へ理屈やひねくれも高じて、学校から「体育」の授業をなくそうと、無謀な戦いを挑んだことがある。小学生のころの話だ。僕は当時、毎授業毎授業、生まれつき足の速い子なんかがスターになる「体育」という「スターシステム」が、気に食わなかった。まあ単純に、運動が嫌いだったっていうのもある。手始めに僕は、休み時間のたびに、狂ったようにドッジボールに興じる、ドッジボール教の信者たちの洗脳を解きにかかった。

「ドッジボールってな、プロとかないねんで。どんなにドッジがうまなっても、意味ないねん」

こう、まわりに説いて回った。今は我ながらひどいこと言っていたなと思うが、「意味がない」ってのは当時小学生である同級生たちには強烈だったみたいで、次々に信者はドッジボール教から脱会していった。やがて、僕のいるクラスで、ドッジボールをする子はいなくなった。僕は調子に乗り、ドッジの件でまわりの「運動嫌い」も味方につけ、本丸である「体育教」の解体に乗り出すのだった。運動嫌いではないけれど、もめるのが好きなやつ、単にひねくれているやつも一緒だった。尼にはそんな子が多いのかもしれない。家がクソ貧乏とか、自分の一族にギャンブル、アルコール、果てはオクスリのどれか

へ

にとりつかれた人間が必ずいて、「普通には生きられない」ことを小学生のころには悟るからかもしれない。このときの担任のセンセーは女性の方で、体育は好きでも嫌いでもない、ハッスルでも熱血でもない、割とめんどくさいことを嫌がるようなタイプのセンセーだった。今思えば、僕をはじめとした「運動嫌いの乱」のせいで、白髪が何本か増えたかもしれない。ごめんなさい。そんな担任のセンセーに、僕はまず、「へ理屈」をかました。

「センセー、体育ってなんのためにやらなあかんの？」

「そりゃ、健康のためよ。病気になったら困るやろ」

「ほな、毎回ラジオ体操でええやん。なんでケガするような運動するん？　ケガしたらむしろ不健康やん」

僕は覚えていないが、センセーはきっと「なんやこいつめんどくさ」の顔だったろう。おまけに僕は得意げな顔だっただろうから、「あ〜こいつシバきたあ〜！」くらい思ったかもしれない。しかし僕への会心の反論が思いつかなかったのか、「全国で決められとんねん。決まりやねん。体育はこうやるあやるって」と、センセーが割とちっちゃい声でそう言ったことは、覚えている。三十数年後のスーパー銭湯事件と同じく、ここでも誰かが決めた「決まり」が立ちはだかった。

しかし、僕もまわりも諦めない。次は、体育の授業には参加して、行われている競技のルール内でふざけまくることにした。たとえばサッカーやハンドボールではゴール前に並びまくったり、ボールを数人で手をつないで囲んでみたり、二人で腹に挟んで逃げ回ってみたり。思いつく限りのことをした。1か月弱はそんな感じだったと思う。センセーは最初あきれていたが、さすがにこのままではアカンと思ったのか、そんな僕らを職員室に呼び出した。僕らは、親を呼ばれようがシバかれようが、「ルールは守ってるし、一応競技には参加している」のへ理屈を胸に、このままふざけまくることを続ける気でいた。いつか、センセーたちが体育なんて意味ないわくらい思ってくれることを期待していた。運動嫌いたちの結束は、固かった、はずだった。

「このままじゃ、ろくな大人にならんよ！」

たくさんの他のセンセーたちに見守られながら、担任のセンセーにそんなふうにどなられた気がする。でも僕らには、まわりのろくでもない大人たちが楽しそうに暮らしているせいか、この言葉がまったく響かなかった。説教は続き、センセーの言うことに少し僕が反論すると、バシッと平手が飛んできた。この時代にはよくあったことだ。それはいいんだけど、それのあと、「……おまえみたいなん、『ニヒル』って言うんやで」。担任のセンセーはそう言った。

「ニヒル……？」

僕は当時「ニヒル」って言葉を知らなかった。けど、なんか気色悪いピンク色の悪魔みたいなあだ名をつけられた気持ちになって、僕は居心地が悪くなった。「ニヒル」って言

へ

葉の印象は、まわりで聞いていた友達も、僕と同じようなもんだったと思う。お説教が終わったすぐあとに、教室にあった国語辞典で「ニヒル」を調べたことを覚えている。難しい言葉が並んでいて、意味は僕もみんなもよくわからなかった。感じていた「ニヒル」って言葉が持つ気色悪さは、辞書では払拭できなかった。結果から書くと、僕らの体育の授業の妨害は、そのあと中止された。体育の授業の妨害のようなことをすることが、「ニヒル」だと理解した僕らの間で、「ニヒルいじり」が大流行したためだった。小学生だった僕ら全員が、「ニヒル」って呼ばれるのがなんだか嫌だった。だからこそ正体不明で気色悪い言葉である「ニヒル」で、お互いいじり合い、ニヒルっぽい行動をお互い自制していくことになったのだ。こうして担任のセンセーも計算外だったであろう、センセーの「ニヒル作戦」により、僕らの夢は砕かれた。「体育教」には大敗北を喫したわけだ。

それから時が経ち、僕は大人になってから、小中学校における体育の授業の意義みたいなものを調べたことがある。調べると「基礎体力の向上」とあり、しかも人間の人生のなかで基礎体力がいちばん伸びるのは幼少期から小中学生まで。その後はどんなにがんばっても大きく向上しないという。筋力や持久力はその後も努力次第で伸びたりするが、いわゆる「運動神経」と呼ばれる動作にかかわる神経系の発達は、この時期でほぼ完了するらしい。なんてこった。

「センセー、『決まり』じゃなくて、ちゃんとした体育をやる理由、めちゃめちゃあるじゃないですか……センセー！」

今でも僕は、運動神経が悪いことをあのセンセーのせいにしている。親の遺伝や、へ理屈を愛するような僕のひねくれた性格が本当の原因であることは、よくわかっているが。

それでも僕は、へ理屈が好きだ。暴論とも思える、トンデモ理屈でできた理論が好きだ。そして、芸術の世界では、そんな「へ理屈」による作品がたくさんある。なんなら芸術の歴史にまで影響を与えているものもある。そんな作品は、もはや「へ」の字の次の、「ほ」の字も超えて「ま」の字、「ま理屈」に達していると僕は思う。字を当てるなら悪魔、魔法の「魔」。いや一周回って真の理屈とは……って感じの「真理屈」でもいいか。

たとえば、僕に多大なる影響を与えた赤瀬川原平という芸術家のセンパイがいる。この人はへ理屈の極み、歴史を変えた「ま理屈」の芸術家だ。どんな街にも、合理的な理由に思えない建築物なんかがある。たとえば、三階の位置にはあるが、そこへ至る階段がないから絶対使われないドア。身長2メートルの人間でも手の届かない手すり。上って下りるだけの意味のない階段。そんなナンセンスな建築物たちを、芸術を超えた「超芸術トマソン」と名づけ、提唱したことでも知られている。

赤瀬川さんは、「無意識」に接続して新しい芸術を作ろうとした「ダダ」に影響を受けてもいるから、街で見る、無意識然とした、それこそ「不要不急なもの」たちに、本当に芸術以上の芸術を感じたんだと思う。そして僕的に、赤瀬川作品のなかでも「ま理屈」ど

へ

真ん中なのが、《宇宙の罐詰《かんづめ》》。蟹の缶詰の外に貼ってあるラベルをはがし、そのラベルを、中身を取り除いた缶の内部に貼り付けただけ。それによって、本来外にあるラベルが接していた宇宙全体が、逆転して内部に閉じ込められ、「宇宙の缶詰」となっているっていう理屈。マジ「ま理屈」。この作品は名作として広く知られていて、芸術の歴史に影響を与え続けている。他にも便器を芸術作品だと言ったデュシャンパイセンがいたり、「ま理屈」作品はたくさんある。僕が親しくしている会田誠パイセンも、「ま理屈」の達人だ。

僕の作品のなかでは、歴史を変える「ま理屈」作品って言えるものは正直まだないが、その手前の「ほ理屈」作品だと思えるものならある。「Box with the Space of its own X-rating」というシリーズの作品がそれだ。2018年に作り始め、2022年現在にはNo.1、No.2と二つ存在している。ハイアート、ハイソサエティーな巨匠芸術家を「いじる」作品シリーズのひとつでもある。いじった相手は措いといて、作品の構造を説明する。

一見するとこの作品は、折り紙の要領で折られた、白い紙箱にしか見えない。が、白く見える箱は、十八才未満の閲覧が禁止されているDVDのパーケージが折られたもので、内容が見える表の部分は、《宇宙の罐詰》と同じように、箱の内部に裏返されている。そして、そのDVDの動画は、小さな再生機器によって、箱の内部で上映され続けている。つまり、箱の内部は「小さな18禁空間」になっている。レンタルビデオ屋にあるような、18禁部屋を想像してもらえばいいだろうか。あれをインスタントに、小さな空間

《Box with the Space of its own X-rating No.1（Porno）》2018年／
ポルノDVDの商品パッケージ紙、映像再生機
箱の中は小さな「18禁」空間になっている。それは、特定の空間から特定の人間を排除できることも指し示す。
写真＝浅野堅一

として生み出すってのがこの作品のミソで、「ほ理屈」部分って言ってもいい。No.1はポルノ、No.2は暴力描写によってそれぞれ18禁指定を受けた映像である。人間は、勝手に空間へ年齢制限なんかをして、誰かを排除する。しかもそれは、簡単に作り出せる……ってことを想像してもらえれば僕はうれしい。

まあ僕が、この項丸々「へ理屈」について書きたかった理由は、自分が好きであること以上に、尼崎にはひねくれた、へ理屈名人がたくさんいた記憶があるからだ。僕のダサい刺青しかり、屁ぇ～みたいなもんに親近感を持ったり愛情を注いだりする土壌もある。漢字の尼と屁も似ている。しかも、赤瀬川さんの《宇宙の罐詰》にしろ、僕の「Box with the Space of its own X-rating」にしろ、制作費は大したもんじゃない。貧乏人でも制作可能だ。つまり僕は、尼にいるようなへ理屈名人による、歴史を変える「ま理屈」作品の誕生を、心から望んでいる。だから、「ほ」や「ま」なんて使わなくても、うまい「へ理屈」には「屁」なんてバカにせず、せめて「お鳴らし理屈」とか「転失気《てんしき》理屈」とか、持ち上げまくることをここに提案しておく。

アマガサキ・コード

――ゲェー、ビチビチビチビチ……

朝、呑みすぎたおかんがゲロを吐く「やってもうた〜の音」。

――ヘック……、おう、おさむちゃ……、ヘック……

昼、近所に住むアル中のオッチャンの横隔膜が出す、「ギブアップ！　酒はもう無理の音」。

――ふぅ……ハァ……

夕、おばあの吐息交じりの呼吸が奏でる「まだ生きてまっせの音」。

――ココココココココッ、ココココココココッ……

夜、怖そうなオッチャンが、ウチのオンボロドアを、手首のスナップを利かせて叩く「はよ出ろや、しばくぞの音」。

――ブッ、ビチビチビチ……

深夜、胃腸が弱すぎるおとんの、「あかん。もう一生トイレ生活やの音」。

僕が小さいころから尼で聞いていた、人間が出す「音」は、このような、天使もラッパで吹けない終末の音にまみれていた。しかし、「つらいの音」はあまり聞こえてこなかった。

そんな音を鳴らした日には、どっかの誰かしらに、「なんや？　かまって音楽団所属の、カマテ田カマ夫の長男坊の、かまってちゃんけ？」なんていじられる。それに、「つらい」なんて自ら口に出したり態度に出したりしたら、「本当に終わり」だと、僕もまわりも思っていたからかもしれない。

そんな当時の「尼崎スタンダード」とは月とすっぽん。ドン・ペリとゲロぐらい違ってきたのが、今現在の「グローバルスタンダード」だろう。「つらい」人はつらいと声を上げていい。我慢しなくていい。つらいのをいじられても、「おいしく」なんてしなくていい。なんなら、つらいのをいじりまくってくるのは「ハラスメント」。僕もつらいと思う人なんていなくなってほしいと思うから、「スタンダード」はこれでいいと思う。そんな風潮は、加速していってほしいくらいだ。しかし、「つらいと思う人」が本当にいなくなる世界を想像できたことは、僕には一度もない。

あれは２０１９年だったか。世間がコロナ禍になる前。僕が今も住んでいる東京・西荻窪にある小さな安居酒屋で、顔なじみの若い男と酒を呑んでいた。この若い男はＳくんとしとこう。Sくんは、ガッチリとした体格の空手マンで、幼いころ、いろいろと苦労したらしい。そのせいなのかSくんは僕の知る限り、優しくて正義感に溢れる好青年だ。このとき僕とSくんは、この年に公開された映画、『男はつらいよ50　おかえり寅さん』について話していた。僕らはどちらも『男はつらいよ』シリーズの熱狂的なファンってわけではなかったが、それでも昭和から続くこの名作シリーズが単純に「50周年、50作目」を達成しているヤバさの話から、主人公「車寅次郎」の自己紹介の口上の話まで、なかなか話が盛り上がった気がする。そんななか、酩酊と睡魔とでグッチャグチャになったSくんが言った。

「……よくよく考えてみれば寅さんって、経済的には負け組の、家族や友達に迷惑ばかりかけている超クズじゃないですかあ〜？」

僕は笑ってしまった。Sくんは続けて、「だいたい、『男は』つらいよって……男だって女だってオネエだって誰だって、つらいですよぉ〜」とも言っていた。まあ、男ってだけで一家の大黒柱なんて呼ばれ、男性優位社会のなか、無理矢理でもきばらなきゃいけなかった「男のつらさ」なんて、今の若い人には通じないのかもしれない。男以外のほうがつらいってのも同意できる。Sくんのような若い人からすると、「フーテンの寅さん」はオモロい人でも、ましてや憧れの人でもなく、昭和の「オワコン」化したキャラクターなのかと納得もできる。けれど僕はこの日、「せやな」と笑顔でSくんに同意することができず、どこか心に引っ掛かりを感じていたのだった。

それから、「家族や友達に迷惑をかける寅さん」について考えると、脳裏に「うひゃひゃ」ってキモい笑い方をする僕の「おとん」が浮かぶようになってしまった。幻なのに、ウインクまでしてくるから困る。そう、あの日Sくんの「寅さんは超クズ」って意見に完全同意できなかったのは、僕が「おとん」を知っているからだ。おかん曰く、我が家の歩く粗大ゴミで、特技は空になったビール瓶を笛のように操るだけの、関白宣言よりもエグい生涯無職宣言のおとんと、昭和の大ヒーローである寅さんとを比べるのは、おこがましいことこの上ない。けれど、寅さんとおとんとの共通点は、まわりの家族や友達が、あまり迷惑だと思ってないことだと思う。

中学のころくらいに、あまりにも働かないおとんに対して僕は憤り、「あいつなんやねん！」とおかんにこぼしたら、「あの人はしゃーないねん……」と苦笑いしていた。寅さんもおとんも、「あの人はしゃーない」と思わせる力がハンパないことは確かだと思う。寅さん明るい人だから、一緒にいても楽しい。おとんは無職なのに結婚と離婚を繰り返しているくらいだからモテたんだろうし、寅さんも銀幕の中でモテていた。寅さんはそれに加えて、まわりに心配されたり尊敬されたりと、カリスマ的要素も備えているからヤバい。

おとんは野垂れ死んでたら笑うくらいには、心配などまわりにされていないし、尊敬されるどころかばかにされている。それでも「いちばん下」にい続け、生きていこうとしていることは、ほんのちょっと、素粒子くらいだけ、僕だけは尊敬している。まあ、おとんが家族や友達に憎まれていないのは確かだし、たぶん愛されている。

それでも、この本にたびたび登場する離婚一直線中、絶賛別居中の我が妻は、「(おさむの)お母さんは本当に尊敬できるし、大好き。でも……、一度しか会ってないっていうのもあるかもしれないけど、お父さんは……、少し軽蔑しちゃうかも。おさむが思っているよりも、お父さんの話、笑えない人が多いと思うよ」と言っていたし、あまり親しくない人から客観的に見れば、やはりうちのおとんはクズと呼ばれる類なのだろう。しかし、ボケカスアホが挨拶の国である尼人的には、おとんはクズではなくてカス。違いは本当に邪悪かそうでないか。愛せるか愛せないか。僕にとって、おとんは永遠にクズではなくカスなのだ。

生涯無職宣言なんてする超ド級はスーパーレアだが、実は尼崎には、男臭い、カスなオッチャンが今でもいっぱいいる。彼らのほとんどが、「立ちション」の上位互換である「歩きション」をマスターしている迷惑な酔っ払いだ。僕にもそんな「カスのケ」があるし、僕はおとんだけでなく彼らにもシンパシーと愛情にも似た感情を持っている。そんなことを書くと西のほうから、「オサムチャン、書いてや! おれらのええとこ、書いたってくれや!」と僕に懇願する、大勢のカスなオッチャンたちの幻聴が聞こえてくる。まあ、ふだんまわりから煙たくされているであろうカスなオッチャンたちのファンが、0から0・01になるくらいには努力してみよう。「カスなオッチャン」の代表がうちのおとんってのは、全国津々浦々のカスたちも納得するだろう。おとんはカスを売るカス屋さんがあったら、確実にメインの棚に並んでいる正真正銘のカスなのだが、他のカスたちと同じく、悔しいかな僕にとって「オモロい」人なのだ。そこで、僕が「オモロい」と覚えている、おとんと僕との会話を書く。

はっきりとは覚えてないけど、場所はきっと阪尼にある中華料理屋だ。外食も、おとんと二人でいることもあまりなかったことから、この日はたぶん二人で行った競艇場の帰りだろう。僕は小学生高学年くらい。ああ、このときのおとんは今現在の僕よりだいぶ年下なんだなと考えると、不思議な気分だ。

「世の中の真理を教えたろか?」

お互いメシを食い終わったあとの変な沈黙におとんは耐えられなかったのか、急にこう切り出してきた。おとんの口には、歯がボロボロな尼人御用達のつまようじが、まだ入ったままだった。

「シンリ……ってなんなん?」

「ほんまのことっていう意味や。世の中にはな、知らんほうがええってことが、ぎょうさんあるねん。正味な話、知って後悔することもたくさんあるねん。それでもおまえは、『真理』を知りたいか?」

毎日毎日ふざけまくりのおとんが、急に真剣な顔でこんなことを言ってきたので、僕は思わず喉をゴクリと鳴らして緊張した。ちなみにおとんの真剣な顔は4年に1回くらい。オリンピックと同じくらいの周期だ。

「……シンリ知りたい。教えてや」

「よかろう。教えてしんぜよう」

芝居じみたおとんを見て、「一瞬でも緊張して損したわ」と思い、少しイラッときたのを覚えている。

「おまえは、ビフテキって知ってるか?」

「ビフテキ? 料理の? ビーフステーキのことやろ? それがシンリ?」

「焦るでない、焦るでない。ならばおまえは、そのビーフステーキを食べたことあるか?」

「牛肉を一枚でかく焼いたやつやろ……、あるやん。おかんがたま〜に焼いて出してくれるやん。テレビで見るやつより、薄いけど」

「心して聞くがよい!

あれな……、

あれはな……、

じつはな……、

……………………………豚やねん」

「！」

「あれはビフテキとちゃうねん。トンテキやねん」

「ほんまに？」

僕はこんな風におとんから「世の中の真理」のひとつを教わった。おとんが何をしたかったか、うちは貧乏やっていうのを、あらためて僕へ教えたいだけだったのか、それこそおとんの真意はわからない。たぶん僕を使ってふざけたかっただけだ。しかし、この会話は僕のお気に入りの「オモロい」記憶として残っている。

……もうイッパツいってみよか。「真理」を知ってからだいぶ経った、僕が高校生のころ。バイトをはじめて僕は一丁前を気取っていただろうから、僕の口調はおとんをかなりばかにしたふうで脳内再生してほしい。場所は覚えていない。

「おとんて、ほんまに仕事する気ないんけ？」

これは、何百回と僕がおとんに聞いてきたことだ。そのたびにのらりくらりとかわされる質問なのだが、このときは少し違った。

「う〜ん。そ〜やなぁ。働いてみよぉかなぁ」

「ほんまに！　なんかやりたい仕事でもできたん？」

生まれたときから働いていないおとんしか見てないから、僕はめちゃめちゃ驚いて、おとんの話に食いついた。思えば、僕はおとんのまずびっくりさせる手法に、いつも引っかかる。

「う〜ん。坊さんとか、どうやろか？」

「坊さん……？　なんやそれ、えらい急やなあ。念仏かっこいいとか思ったん？　それとも改心して、修行でもしようと思ったん？」

「アニメで、安国寺の一休さんておるやろ？　ひとやすみ〜、ひとやすみ〜の」

「一休さん……うん。おるなあ」

「ほんならおれは、全休さんでどやろか。他力本願寺の全休さん。ぜんやすみ〜、ぜんやすみ〜ってな」

僕は、コイツなんかうまいこと言いよったわと思って、プッと笑ってしまったが、「いつもと変わらへんやんけ！　アホ！」とつっこみ、コイツほんまにあかんわと、心の底から思ったのだった。

……って、こんな話で妻のような人が、おとんのようなカスを軽蔑しなくなるわけがないが、憎みづらい少しお茶目なオッチャンってことくらいはわかってもらえるだろうか。

他におとんは、大儲けできるとでも思ったのか、YouTubeで自前の番組を始めたりする、意外とクリエーティブな面もある。内容は、プロレスマスクを被って図書館で借りたムツカシイ哲学の本などをだらだら読むだけ。一応2か月くらい毎日続けて、儲けられないのを悟ったのか恥ずかしくなったのかはわからないが、もう消したらしい。僕がその映像データを手に入れることができたなら、いつか僕の展覧会で見せることができるかもしれない。

感心したことも意外とある。２０２０年のコロナ禍では、飲食店救済のために施行されたＧＯ ＴＯ ＥＡＴの、合法詐欺のようなものが流行って社会問題になった。僕はなんだかおとんもやっている気がして、電話して聞いてみた。すると、「ああいう労働っぽいことは一切やらん」とおとんは言った。ちまちま注文してポイントをかせぐ労働のようなことは、自分の「人生哲学」に合わないのだという。僕は、カスはカスなりにぶれずに生きているのだな、と妙な感心の仕方をしたのだった。しかしまあ、僕の脳内を隈なく探しても、おとんの話は軽蔑が引っくり返るような、「一般的な」ええ話は存在しない。根本的なことを書けば、ええことやええ話があるから僕は彼らを好いているわけじゃない。強いて言うならば、「アマガサキ・コード」と名づけたらいいような、僕が尼崎にある「コード」を理解しているから彼らを愛せているのだと思う。ダ・ヴィンチの残した謎を解く『ダ・ヴィンチ・コード』なんて映画があったけど、尼にいるようなカスなオッチャンを愛すには、「アマガサキ・コード」が必要なのかもしれない。

２０１８年の僕の個展のときに、芸術家友達の大久保ありさんに言われたことがある。「松田くんの作品には、個々の作品に通底するコードのようなものが感じられて、それを理解すると、松田作品がとても好きになる」

続けて、「たとえば、日本人が桜を好きな理由に、日本で生まれ育ったら自然に身につく『桜のコード』があると思うんだ。言葉にするのは難しいけど、『はかなさ』とか、『入学、卒業』にまつわる感情とか……それらを日本に生まれ育っていない外国人が、桜を見て感じるのは難しいよね」なんてことを言っていた。

肝心の、大久保さんが感じた「松田修コード」がどんなものだったかはまったく覚えていないのだけれど。まあ、日本に生まれ育つと「桜のコード」を手に入れられるように、尼で生まれ育てばカスを愛せる「アマガサキ・コード」を手に入れられるってのは、あると思う。僕が育った当時の尼にはおとん以外にもカスなオッチャンが大量にいたから、共生するにはそんなコードを理解するしかなかったとも言える。つまり、自分の観点や基準をいろいろ変えて世界を見ると、カスが素晴らしくも見えてくるってことだ。芸術の世界では多々起こる。

まったく「オモんない」と思っていた作品が、知識によって「オモロく」見えるようになったり、見方や考え方を突然発見して急に「オモロく」感じられるようになったりする。「コード」ってのはそういう類のものだろう。うちのおとんも、自分の全人生を賭けて「一生労働しない」アートパフォーマンスを行っていると考えれば、僕には絶対真似できない、なんかスゲーことをやっているって気にもなる。けど、知らない「コード」を実際手に入れるのは難しい。今書いていても、僕が持つ「アマガサキ・コード」を説明する不可能さに直面して、僕はめちゃめちゃ白旗を振りたい気持ちでいる。

しかしそんな、自分の知らない「コード」を手に入れるためにも、「芸術」はあるのだと僕は思っている。そして、僕は中学生のときに初めて、自分の知らなかった観点や基準、知らなかった価値を測る「ものさし」のようなものがこの世界に「ある」ということを、芸術によって知った経験がある。いわば芸術初体験だ。世界への見方が変わったっていう話だから、嫌いなカスを好きになることや、知らない「コード」を手に入れることに、少しはつながる話だと思う。

その話の舞台は、尼崎でも東京でもない。まあ、ある県のある町にしとこう。僕は、二度目の鑑別所収容を終え、裁判を終え、その町のとある家で、僕と同じような状況にいる何人かの子供たちと共同生活を送っていた。その家は、当時の尼にあったら超金持ちっていう二階建ての一軒家だったけど、まあよくある一軒家だろう。フルネームは失念してしまったが、苗字が藤田っていうオバチャンがその家の主だった。藤田さんはふだん物静かな人だけど、どこか凄みのようなものを感じられるオバチャンで、僕らのような子供たちには手慣れている様子だった。この家はなんかややこしい名前の施設だったけど、この本では家主のオバチャンにちなんで「フジタハウス」としとこう。藤田さんが僕の保護司になってくれたのか、ただ親に預けられたのか、僕がフジタハウスに入る経緯は忘れた。入所のときにはおかんがいて、藤田さんと話すたびに僕の頭を鷲づかみにして、頭を下げさせられたことは覚えている。

「おとなしく過ごすんやで」

おかんはその日、僕に何度もそう言っていた。藤田さんはニコニコしていた。僕は、しばらくオナニーがしづらくなるなぁ、とアホなことを考えていた。

フジタハウスがあったのは、田舎でもなく都会ってわけでもないくらいの街だ。入所中遊び回ったりしたわけじゃないからくわしくわからないけど、尼で3日に一度は遭遇したカツアゲのようなことは、一度もなかった。入れ替わりもあったが、僕がいたときは三人の子供がいる状態が最高人数。全員男の子。お互いイキりたいお年ごろだったからか、僕らの間には絶妙な距離感があって、友達になるようなことはなかった。そもそも実家などの、お互いの連絡先の交換は禁止されていた。こづかいなんてものは渡されない。だから僕は毎日学校からの帰り道に、尼のときと同じく、自動販売機の釣り銭のところをパカパカ確認、下の隙間をはいつくばって確認。そんなふうにして、たまに小銭を手に入れていた。それで買ったガムを一枚、同じフジタハウスの子にあげたことがある。

「えっ、なんで？　なんでお金持ってんの？」なんて、その子は本当に目が点になってびっくりしていた。僕は当時こういうことをかっこええと思っていたし、彼のそんな反応を見て、僕は得意げな顔をしていたと思う。しかし「同僚」との交流は、これだけしか覚えていない。そして、フジタハウスから通っていた中学校でも、僕は友達を作ろうとはしなかった。やがて尼に帰るのだから、「意味がない」とどこかで思っていた。我ながら、なんて冷めた中学生だったんだろうと思う。フジタハウスでの生活は、朝から晩まであらかじめスケジュールが決められていて、学校が終わったら、掃除して、宿題やって、親に手紙を書いて、と何も考えずに生活できるもんだから、本当に何も考えずに従って、何も考えずに毎日を過ごした。好きも嫌いもなかった。それがラクだった。

しかし、たまに特別更生プログラムみたいなのがあって、山に登らされたり、茶道を体験したりした。僕はこれがダルすぎて大嫌いだった。僕は元来、好奇心旺盛な冒険家タイプというより、どちらかといえば引きこもりタイプだから。このときにしか配られない「おやつ」だって、自販機パカパカの小銭でこっそり手に入れていたからか、僕にはうれしいものではなかった。プログラムの日程が近づいてくるたび、僕は憂鬱になった。

そして、そんなプログラムは、基本ケースワーカーのような人に連れられていく。僕は幼いころからケースワーカー系の人にたくさん会ってきたが、たいてい苦手な人だった。ロクでもない人ばかりに囲まれてきたからか、極端に「ロクでもある人」と、どうやって話せばいいかわからないのだ。これは今もそうだ。

プログラム中最悪だったのが山登り。山は登りも下りもしんどいだけで、頂上に着いて、「ほら～、下の景色を見てごらん～」とかロクでもある人たちに言われても、僕は

「テレビで見たまんまやな」「はよ下りたいだるい」と思うだけだった。さらにロクでもある人の一人がベタに、「心が洗われるぅ〜！」なんて手を広げて大げさに言っていたのを覚えているが、僕は心の洗い方をおかんの腹の中に置き忘れたのか、ロクでもある人のその態度を冷めた目で見ていた。ＮＨＫの番組の「おにいさん」みたいなしゃべり方で話されるのにも、毎回イラッとしていた。このとき登った山は「大山」と書いて「だいせん」と読むと教わり、「ほな、学校にいる小山くんは『しょうせん』で、佐山くんは『さーせん』やないかい！　さーせん……、なに謝っとんねん！」と一人で妄想し、帰りのバスでも一人「クックックッ」と不気味に笑っていた自分を思い出すと、恥ずかしすぎてつらい。しかし、そんな妄想をしているときが、いちばん楽しかった。とにかく僕は、特別プログラムで大人が張り切って「ええもの」を僕らへ体験させようとすればするほど冷めていた。張り切った「ロクでもある人」を見るたびに、付き合わされているのは自分のほうなのではないかという気持ちになった。

そんなプログラムで、僕は美術館へ行った。登山も茶道もだが、美術館へ行ったのは、生まれて初めてのことだ。当初、興味は他のプログラムよりもなかった。しかしこのようなプログラムでは、毎回レポートを書かなきゃいけなくて、拒否はできない。美術館行きのバスの時点で超憂鬱状態。「同僚」もそうだったと思う。どのプログラムでも一人くらいはしゃぐやつがいたが、このときはいなかったような気がする。バス内でのロクでもある人の説明なんて、誰も聞いちゃいない。やんちゃな問題児たちにとって、芸術は今でも「そんなもん」だと思う。

このとき僕らが行った美術館は、今の僕からすれば、めっちゃいい美術館で、表ではマッチョな人物像がお出迎えしてくれる。「近代彫刻の父」なんて言われる大巨匠ロダンの、《考える人》を作った人だ。しかしやはりというか、当時の僕は興味が持てなかった。パルテノン神殿と日本の蔵が合体したような本館の中は、印象派好きのオバハンたちが泣いて喜ぶようなドガやらモネやら、有名なエル・グレコの受胎告知の絵やら、岸田劉生の人物画なんかもあって、東京でも類を見ない、人類の宝だらけのエグい美術館だった……んだけど、僕はロダンと同じく超絶スルーしまくりで、何も興味が持てなかった。プログラム的に2時間くらいの鑑賞時間が設けられていたと思うが、たぶん15分くらいで全部見終わった気がする。

このときの僕は、生意気にも、どれも見たことがあるような気がしていた。テレビとか、教科書とかで。それに、それまで「アート」って口にしたこともない僕からしたら、美術館の作品はどれも気品高くて、「お芸術」のような気がして、自分には関係がないもののように思ったのだ。そんな「お芸術」たちに、僕は無感動だった。今思えばこれは、超が1000個はつく「偏見」なのだけれど。しかし、鑑賞の時間があと1時間半以上は残っている。暇を持て余しまくる。敷地内でふらふらするのもダルい。まわりを見渡すと、フジタハウスの「同僚」も、みんなそんな感じだった。

そんな感じで全員が外の庭のような所をぶらつくのに飽きてきたころ、僕はピンときて、「この美術館でいちばん高い物って、どれになるんですか?」と、連れてきてくれたロクでもある人たちか、美術館の学芸員かは忘れたけど、質問したのだ。アホはアホなりに、美術品がめっちゃ高価であることを知っていたから。

「う〜ん。パブロ・ピカソの《頭蓋骨のある静物》って絵かなあ」と、その誰かは僕の質問に答えてくれた。しかし、僕はピカソを知らなかった。僕が当時知っていた芸術家は、「裸の大将のキヨシ」ただ一人だ。

「それって、なんぼするんですか?」

「う〜ん。正確にはわからないけど、10億円以上はするかもね」

「じゅ、じゅうおく〜! ほんまに? うそやろ? そんなんどこにあるねん!」

10億円。たまげすぎて想像できなかった。場所を聞き、僕は小走りでもう一度見に行った。一刻も早く見たいのに、美術館で走っちゃいけない空気は読んでいたから、変な走り方だったと思う。到着時の僕の鼻息は荒く、目は白目の部分が全部黒目になるくらいには見開いていただろう。なにせ10億円。このときの僕には10億円の物なんて、その後お目にかかれる予定はない。

見て、もう一度驚いた。というか、衝撃って言葉が安く思えるくらいの衝撃を受けた。

マンガなら僕の背景に派手な文字が「ガガガーン」とあるし、映画なら急いでいたときの盛大な音楽が、急にピタッと止まる。

「うそやろ……、こんなんが……」

ピカソパイセンごめんなさい。そのときの僕には、その絵がスーパーチンケなものにしか見えなかった。色が派手なわけでもない、灰色メインで、どう見てもヘッタクソな絵。おまけに途中で終わっているように見えた。10億円払うどころか、100円もらっても欲しくない。僕はそのころ、ベンツの車がなぜ高いかくらいは、わかっていた。世の中の道理をある程度理解しているつもりだった。ベンツ社の車のなかにはEからSまでのクラスがあり、さらにオープンカーのSLクラスなんてものもあって、それらがなぜ高いか安いかくらいはわかっていた。うちの家がなぜ貧乏なのかも、ある程度理解していた。しかし、目の前のピカソの絵を何度見ても、ベンツが高い安いなどの、それまで得た自分の全知性を総動員させても、なぜこれが10億円以上する物なのか、さっぱりわからなかった。

「ダイヤモンドでも貼ってあんのけ……？」

嘘をつかれたとも一瞬思ったが、よくよくまわりを見渡せば、他の絵が並ぶのよりも絵と絵の距離を長くとってあり、大切に飾られていたように見えたから、「ほんまなんや、じゅうおく……、これが……、こんなんが……」と、最後は目の前にあるチンケにしか見えない絵が10億円以上することを信じることにした。そう信じると、中学生の自分には価値が理解できなかった、おじいが大切にしていた「シラナミって酒の一升瓶」とか、おかんが高かったんよ〜とか言っていた「キモチ悪い色の口紅」とか、弟が意味なく大切に集めていた「切った爪」とか、そういうものにも価値を感じれらるような気がしてきて、僕はなんだかうれしくなったのだった。それの究極が、目の前にある「芸術」だと、僕は思ったのだ。おかんが僕に言うところの「芸術詐欺」に引っかかったともいえるが、僕はあのとき少しだけ「アート・コード」を理解したのだと思う。

このエピソードによって僕が芸術家を志すっていう、素敵なオチはない。このピカソ体験によって僕の価値観は更新された気がするが、フジタハウスを退所して尼に帰り、僕はこのことをほとんど忘れていた。尼ではこれを話す相手も思い出す機会も、まったくなかった。そんなだったから、芸術を身近に感じるってのがいかに難しいか、僕はよくわかっているつもりだ。それと同じように、「カスなオッチャン」が身近にいなければ、彼らを愛することは難しいのだと思う。僕が「ピカソ」を引っぱり出してまで言いたいことは、誰かが愛しているものを、まずは信じてみるってことだろうか。それが、わからない「コード」をわかるようになる第一歩なのだと思う。

次に、少しでもカスなオッチャンを好きになってもらうために、僕の作品を二つ紹介する。一つ目は、2014年に制作、発表した《無億円》だ。これは、銀行で口座から100万円下ろすときについてくる、100枚の一万円札を束ねているテープのような

「帯封」を、一億円分並べた作品だ。この作品は、友達の手塚マキさんが会長を務めるSmappa!グループのホストたちや、100万円以上貯金がある友達に協力してもらって制作した。僕はこのときも今も、100万円の貯金なんて持っていない。だから、何人かの友達には、銀行で100万円以上下ろしてもらって、帯封を抜いてまた預けてもらい、また下ろし……なんてことを繰り返しやってもらった。親しくしてもらっている会田誠パイセンも協力してくれて、500万円分くらいは会田さんのカネの帯封だ。銀行員には嫌がらせだと思われたかもしれない。

つまり、この《無億円》は、いろんな人たちに迷惑をかけながらできている。けれど、銀行員を除くみんなは、僕の作品制作のために「しゃーない」と思って協力してくれたのだ。まるで、この章の「カスなオッチャン」たちだ。みんなに迷惑をかけながら、見えないお金を積み上げるっていう、文字にすると賽の河原か地獄の罰のようにも読めるが、僕はこの作品を気に入っている。人生で、お金を積み上げ続ける資本主義の虚しさから、脱出した気すらしてくる。

二つ目の作品は、2015年に発表した《普通の写真》という、写真を撮るプロジェクト。成果物である写真は、発表していないものを含めると、50点近くに上る。この作品は、あるひとりの頸椎損傷者との共同制作で、その人の名前はFさんとしておく。Fさんは過去、自動車事故によって頸椎を損傷してしまい、首から下が動かなくなってしまった。それでもFさんは、僕が出会ったときには、顎で動かせる電動車椅子を駆使して全国を飛び回る、めちゃくちゃアクティブな車椅子ユーザーだった。しかし、ケガをする前に撮れていた「鉄道写真」を撮ることは、できなくなった。

そこで、言い方は悪いかもしれないけれど、鉄道に興味はないがカメラのシャッターを押せる僕と、撮りたい鉄道の写真はあるがシャッターを押せないFさんと、二人で一つ、ニコイチになり、日本全国を回ってFさんが撮りたい鉄道写真を撮っていくプロジェクトが、この作品なのだ。どの写真も画角や構図、撮るタイミングまで、Fさんが僕へ細かく指示してくれたが、これはめちゃくちゃ難しかった。「はい！　今！」と、Fさんに声で撮るタイミングを指示されても、僕は最初うまく撮れなくて、鉄道の尻だけ写っていることがよくあった。毎回僕はめちゃ怒られた。そうやって、僕がFさんにムカつくくらいは苦労して、二人で「普通の写真」を撮っていた。「鉄道写真」なんて、ネットの画像検索内に並べば、撮った背景や苦労なんて絶対に見えない。それくらい今見ても「普通の写真」だ。

そして、もうひとつのパターンとして撮っていた、Fさんと鉄道とが並ぶ「記念写真」は、Fさんは車椅子ユーザーという個性があるから、一見特別な写真のように見えるが、その動機は「記念に」という誰もがやる普通のことだ。つまり、この2パターンの写真はどちらも「普通」ということが関係しているように思えたから、僕はこの作品のタイトル

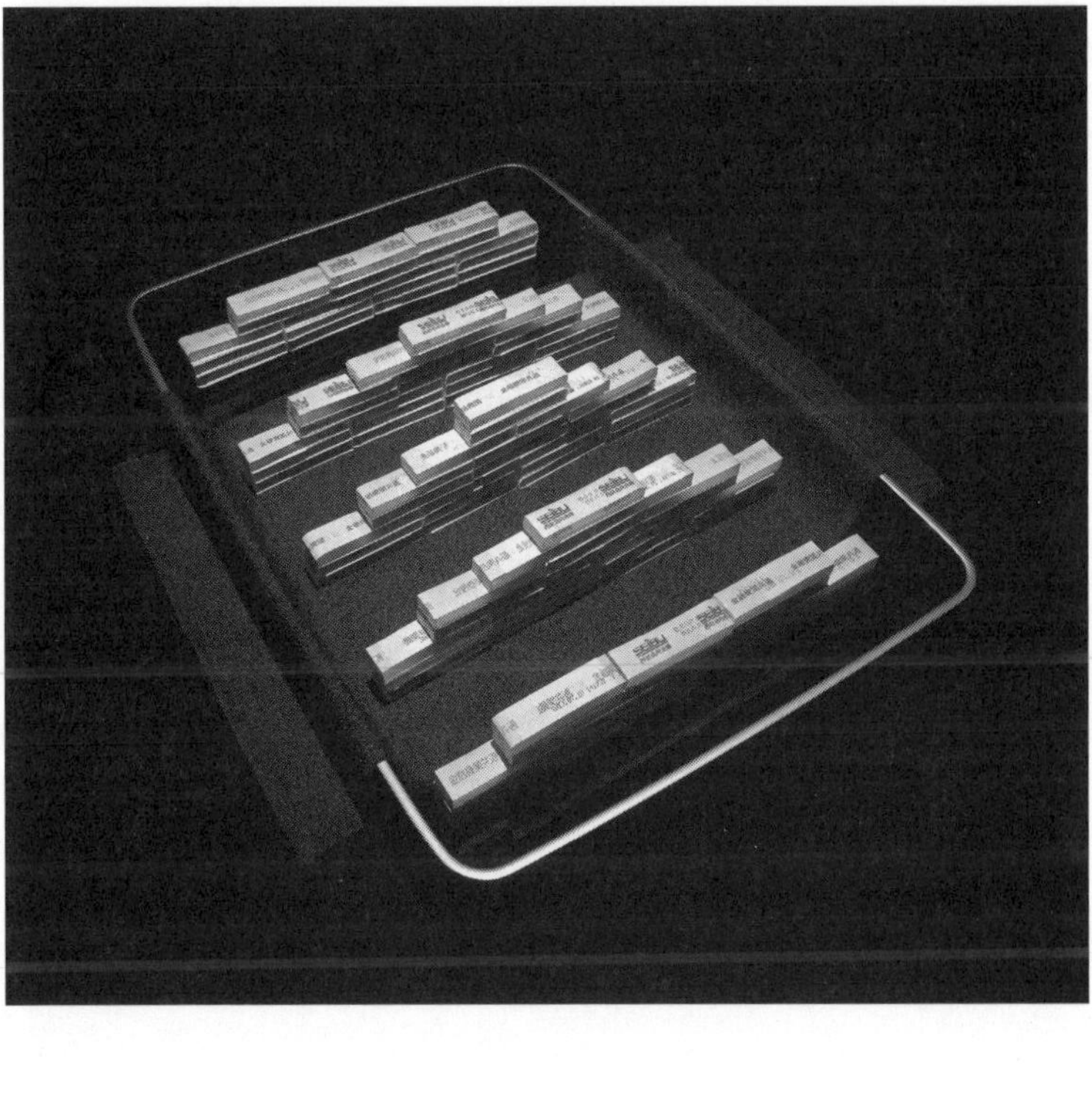

《無億円》2014年／金融機関による100万円の帯封100枚
写真＝森田兼次

を《普通の写真》にした。一目見ただけでは背景が見えてこないという点で、「カスなオッチャン」と《普通の写真》は共通している。さらに言えば、車いすユーザーと「カスなオッチャン」には、どちらもマジョリティーには理解しがたい彼ら独自の「普通」がある。

二つの作品でそれぞれ、「経済的観点だけでは人生を測れない」こと、そして「個性とは見えづらいもの」だということを説明したつもりだが、まとめると……、「カスなオッチャン」たちは、第二、第三の「お釈迦様」になる可能性があるということだ。国を捨て、家族や国民に迷惑をかけまくり、乞食のような生活をし、自分の哲学どおりに生きる変人。そう、お釈迦様もまた「カスなオッチャン」なのだ。そう考えると、彼らを蔑むことなく「ほっとけ」るくらいの気持ちにならないだろうか。

努力はした。もう限界。「カスなオッチャンをどうにかして好きになってもらう委員会」会長、これで辞めさしてもらうわ！　最悪、読者が「カスなオッチャン」のことをどうしても好きになれなくても、この章全体で、僕が持っている「アマガサキ・コード」を解明することにつながってくれれば、僕は御の字だ。

《普通の写真》2015年／銀塩プリントをアクリルマウント
共同制作＝T. F.

序章に書いたとおり、2020年に、僕は《奴隷の椅子》制作のために、尼崎でおかんへインタビューを行った。内容は、おかんの歴史、おかんの人生について聞くものだった。「生活が苦しゅうなって、家族五人で薄切りハムを分け合って。それだけしか食えんような日もあったなあ。ごめんなあ」

その最中、おかんは申し訳なさそうに、僕へそう言って謝った。おかんが言った家族五人というのは、おかん、僕、弟二人、おばあのメンバーで、そこに含まれていないおとんが、我が家の生活が苦しい大元凶だったわけだし、まわりで僕ら家族だけが貧乏ってわけでもなかったからか、僕はおかんのその言葉と態度に正直戸惑った。そういえば、幼少期にはまだ街にたくさん野良犬がいて、尼にいるのはガリッガリで毛も少なくて、ゴボウみたいなのばっかりだったなあとか思いながら、「気にせんでええって」と、僕はその場でおかんに言った。本心だ。おかんを恨んだことはない。しかし、おかんにとって、自分の子供が腹を空かせていたってのは、どうやら今でも苦い記憶になっているようだ。僕は学校で話す貧乏自慢の話のネタくらいに思っていたのだが。

小学生のころ、僕はスーパーのダイエーで、小さなおもちゃのようなものを盗もうとして店員に捕まり、おかんに死ぬほど怒られたことがある。捕まって、店におかんを呼び出された。激怒したおかんは僕の頭を、地球が凹むくらい床に擦りつけて、僕を店員たちに土下座させた。店から許されたその後も、僕は家に帰って叱られ続けた。そのころテレビでやっていたと思われる「鬼平犯科帳」で、鬼平が泥棒の手首を切り落とした話を、僕はそれから半年以上おかんから聞かされ続けた。

「ほんまなら、アンタ手首切られても文句言えへんのやで！」

おかんにそう言われ、おびえている自分を思い出せる。しかしそれから少し経ったあとの、僕の弟が同じダイエーでお菓子の「とんがりコーン」を盗もうとして捕まったとき、おかんはまたもやめちゃくちゃ怒っていたが、同時に悲しそうだった気もする。僕のときほどは、弟を叱っていなかった気もする。あれは、「食べ物」だったからだろうか。半年間、鬼平手首切り落とし話の刑は、弟もくらったみたいだけど。まあ、クソ兄弟だ。

そんなころの、薄切りハムを家族で分け合った記憶は、おかんだけでなく僕にも残っている。話のネタになるとはいえ、やはり薄切りの1枚では物足りなくて、「家族と分け合わずに食べたい」、なんなら「独り占めしたい」、僕は小学生のあのころ、そう思っていた。

そんな小さな願望を僕が叶えたのは、僕が一人暮らしを始めた高校生のときだった。それまでにだって、いくらでも叶えるチャンスはあったと思う。けれど小中学生のころの僕は、「食べ物」にそんなに興味がなかったし、たとえ腹がへっていたとしても、お金に少しでも余裕があれば、ハムではなくマンガやゲームを買っていた。しかし僕はその日、ピンときたのだ。

僕が高校生のときの仕事だったガソリンスタンドのスタッフ。その給料が入って数日目。なんかピンときていた僕はその日、薄切りハムだけを買いに、外へ出たのだった。コンビニでハムだけ買って、ビニール袋ももらわず、コンビニから出たくらいには透明な包装をむいていたと思う。正確には、「薄切りに分けれるようになっている」そのハムを、僕は分けずに、「ガァアブリっ！」って、歩みを止めずにむしゃぶりついた。3秒足らずでハムは胃の中。おかんが見たら「そんな食べ方はやめなさい！」って叱ってくるところだろう。しかし、僕は厚さ5ミリ程度のその「分けてないハム」にかぶりついただけで、自分でも想像してなかったくらい、しばらくの間多幸感に包まれていた。この先どんなアブナイクスリをやったとしても、あのときのハムには絶対勝てないと思う。コンビニから家へ帰るまでの間、僕は家族でハムを分け合っていた情景を思い出し、「ああ、おれ、大人になったんやなあ」なんて、ハムドラッグの余韻に浸っていた。

四十を越えた今でもたまに、僕は「薄切りハム」にかぶりつく。あのときほどではないが、それなりにハムドラッグは僕に効く。幸せ気分になれる。なんて安上がりなドラッグだろう。今住んでいる東京・西荻窪の西友にも売っているし。少し困ったことがあるとすれば、この話をおかんにしたら、何かにつけおかんが薄切りハムを僕へ送ってくるようになったことだ。送ってくるだけじゃなく、会えば必ずハムを渡される。もう丸大ハムの、次の「ハムの人」はおかんでいいと思うくらいだ。正直、東京にも薄切りハムは売っているので、なんか違うものがいいなあ……と僕は思っている。ああ、あと世界一の蛇足話を付け加えれば、小さいころに僕が面倒を見まくっていたうちの三男坊は、言葉を覚えたての時期、僕を「おさむ」と言えずに「おはむ」と呼んでいた。つまり僕は昔、「おハムの人」だったわけだ。

しかし、「本当に大人になった」のは、最初のハムドラッグの時よりも、もっとあとのことだったと今なら思う。十代二十代の僕は、良くいえば無邪気で、悪くいえば人のことなどあまり考えられない人間だった。世間知らずで、「知識」があまりにも足りていなかった。子供のころから、尼にいるあらゆるまわりの大人に、「ええな〜、子供は。働かんでええし。シラフでいられるし」なんて言われて、当時は意味がわからなかったが、年を取れば取るほどわかるようになってきた気がする。まあ大人は、「無邪気」ではいられない。この項では、僕の「無邪気」なる時代の罪というか、懺悔のようなものを書きたいと思う。僕がそのころ無意識に持っていた、「差別心」についての話だ。

と、その前に、舞台となる阪神尼崎駅から出屋敷駅周辺の街あたりをこの際簡単に書く。歩くと遠いＪＲの尼崎駅と区別して、通称「阪尼」なんて呼ばれる地域だ。尼崎は、いちばん北に阪急、真ん中にＪＲ、南に阪神と、それぞれ大阪と神戸を結ぶように電車が通っているが、工業地帯が近くなる南のほうほど「ひどい」のが地元の常識となっている。

まずは「三和」について。僕もあまり知らなかったが、三和本通商店街とか、ザ・シャッター街の三和市場とか、出屋敷駅近くの尼崎で「三和」と呼ばれる商店街地域は、闇市がルーツらしい。詳しくはウィキペディアに任せるが、ヤクザは幼いころから見慣れたものだったから、闇市の名残りは今でもあるといえばある。

「三和」には思い出がたくさんあるが、おかんが「ダイエー信者」になる前によく利用していたのが、ここにあった懐かしすぎるスーパー、ニチイ。その後サティになったり震災があったりゴチャゴチャして、今はパチンコ屋だ。

ちなみに、今現在のおかんは「スーパー玉出信者」。ニチイだけでなく、ダイエーももうなくなっている。阪神尼崎の駅前から出屋敷駅方面へ延びる「尼崎中央商店街」に比べたら、「三和」はどこも寂れた感じがするし、古くてボロい。そういえば東京の中央線沿線の、高円寺や阿佐ケ谷なんかのボロい高架下のお店や商店街は、どこか「三和」を思わせる。僕が理由もなく中央線沿線の街から離れないのは、こういった理由かもしれない。

今これを書きながら街を思い浮かべて、自分で腑に落ちた。

もうひとつ書きながら思い浮かぶのは、阪神尼崎あたりの人は、とにかく地べたに座りまくる習性があることか。90年代の渋谷のギャル顔負けだ。あと、カンケーないかもだけど、僕が東京出て初めて都市銀行の口座を作ったのは、当時高円寺にあった「三和」銀行。もちろん名前に惹かれて。阪神尼崎から出屋敷にかけての街や店と、東京の中央線沿線のそれらとの類似でいえば、個人経営のうまい定食屋や呑み屋がめっちゃあるってことか。「らしい」オッチャンオバチャンが「寄ってってや〜」「買うてってや〜」なんて話しかけてくるのも高円寺あたりに似ている。でも、東京では「タメロ」で店員に話しかけると嫌がられたりするのに対し、尼だと標準語の「敬語」で店のオッチャンオバチャンに話しかけると、キモがられる。さらに決定的な違いは、尼にはすぐ裏にフーゾクやらラブホテルやらがありまくるのと、エグいくらいパチンコ屋があるってことか。

前述のとおりニチイもパチ屋になったし、本当に、吐いて捨てるのに千年かかるほど、「腐るほどある」の例題テストに毎年出るほど、パチンコ屋が多い。尼人、どんだけ好きやねんパチンコ。そして、市内には競艇場と競馬場もある。尼崎はギャンブル・酒場・風俗と揃っていて、麻雀で言うならカス稗輝く国士無双。僕が「大人のディズニーランド」と尼を呼ぶ所以がここにある。男臭い、酒臭い、おまけにイカ臭い街だ。僕は幼いころ、おとんによく競艇場に連れていかれ、阪神タイガースの選手より、尼崎ボートレース場の選手のほうが詳しい状態だった。ちなみに、競艇場がある「阪神尼崎センタープール前」のセンタープールとは、競艇場のことだ。何も知らない人が、「おっ、尼崎にプールあるやん。遊びに行こ〜っ」ってこの駅で降りると、目が血走ったオッチャンたちに囲まれることになる。最近は、女性のボートレースファンも多いらしいけど、僕はそのことを知らない。やはり目は血走っているのだろうか。

尼は工業地帯としても有名だ。港のほうだけでなく、市内にはいろんな工場がある。僕が働いたことがあるのは園田にあるやつだけど、就業初日の午前中には逃げ出してしまったし、僕は工場のことはあまり詳しくない。港のほうは小さいころからの遊び場だ。尼崎は昔から公害がひどいというが、僕はそう感じたことはない。空気がクソまずいのは保証するが。でも同級生には「ぜんそく」持ちが多かった気もする。小学校のころ、ギャグで友達のぜんそく用の薬を隠して、「これだけはやったらあかん！」とセンセーにボコボコに殴られた記憶がある。確かにあれは、「やったらあかん」ことだった。

阪神尼崎を「健全に」観光するなら、阪神尼崎駅のすぐ近く、2019年オープンの尼崎城を眺めて、寺町のほうには「らしくない」風情ある寺などがあるから、そのへん行ったあと、尼崎中央商店街のほうに行って、中華料理屋の大貫本店でやきめし（ウマい！）食って、出屋敷のほうの「三和」にあるホルモン焼き（ウマい！）とか、店先で買えるB級グルメを食べたりしたら、あとはテキトーな個人経営の呑み屋をハシゴして朝まで飲み明かす……のが個人的にはおすすめだ。けれど尼崎の暗くて細い路地には、Hなオネエチャンじゃなくて怖いオッチャンがいたりするから気をつけて。

そんな阪尼の治安はというと、Google検索で「阪神尼崎」や「出屋敷」なんて打つと、次の言葉予測で出てくるいちばん上が「治安」だったりするくらいには、今でも悪い。でも地元の人がみんな言うように、よその人たちが思っているほどは悪くない。事件はよく起こるし、駅前でも引ったくりが起こるし、カツアゲされそうになるのは日常だし、僕が中学校のころは、センパイが学校で「原付」のチョッケツ、つまりバイクの盗み方をイキって教えてくるくらい今思えば「ひどい」んだけど、「そんなに治安、悪ないやんなあ」って、住んでいる人ほとんどみんなが言う。ちなみに外見がイキった中高生は、阪神尼崎周辺のデフォルトだと思われる。つまり、尼崎外の人から見ると、彼らはほとんど全員イキっているように見えるが、尼崎内ではそんなふうには思われない。少なくとも僕のときはそうだった。

あとだいぶ少なくなった気がするが、ヤクザが多くいる。しかしそれより多いのは、「おれは〇〇組の〇〇さん知ってんねんぞ!」なんて言う虎の威を借りまくっている本当は猫のヘタレチンピラ。こういう人は絶対に〇〇組の人なんて知り合いの知り合いにすらいない。ダメなオッチャン。盗んだり盗まれたりは本当に多くて、僕は小学校高学年くらいから東京へ出てしばらく経つまで、どこかの家なんかに上がり込むときは、必ず靴を中へ持って上がるクセがあった。そういえばウチのおじいは、駅前で盗まれた財布が、その日のうちに「三和」にある店で売っていたことをギャグにしていた。ギャグっていってもこんなので笑うのは尼人だけだ。

とまあそんな感じだから、尼出身というのは関西全域で認定される、「育ちが悪い」という血統書をもらうようなものだ。まあ尼崎の阪急沿線のほう、尼の北に住む人たちは、そう言われるのが嫌いらしい。だから彼らのなかには、「尼」ではなくツカグチやムコノソウ出身を自称する人もいる。けれど、僕には尼崎のほとんどの人が、「育ちが悪い」と言われることを受け入れて生きているように思える。

最近、テレビで「水曜日のダウンタウン」を見ていたら、尼出身の芸人であるチャンス大城が、「尼崎のドブネズミ魂見せたるわ!」と叫ぶ場面があった。これなんかもう「ドブネズミ」を自認している。番組内容はドキュメンタリーな内容だったし、それを見たダウンタウンの浜ちゃんが、「あいつ尼（出身）なんか!」なんて驚いていたから、ヤラセや台本などではなく、チャンス大城自身の自然に出た魂の叫びだと僕は思う。血統書付きのドブネズミ。尼内でも尼外でもそう言われ続け、もうネタにしちゃうのが尼人だ。

じゃあ、そんなドブネズミ同士が仲良く暮らしているかっていうと、そうでもない。この章の前半に書いた、「無邪気でいられない」現実が、尼崎にはある。

ここからは笑えない話を続ける。尼崎には、今も昔もたくさんの外国人が住んでいる。いわゆるザイニチ、在日朝鮮人もたくさん住んでいる。彼らが、差別されることなく暮らしているかというと、僕はそんなことはないと思っている。「ドブネズミ」と蔑まれた者が、さらなる弱者を差別するってことが、残念ながら尼には潜んでいる。

在日朝鮮人たちを蔑視する人は、今でもたくさんいる。残念ながら、僕はその中で育ってきたし、僕が子供のころには特に、そんな空気がまだまだ尼にはあったと思う。僕もそうで、小学校のころから「差別はいけない」なんて教わりつつ、朝鮮学校を、僕は異常に恐れていた。彼らが多く住んでいるという地域にも近づかなかった。

しかし、僕個人がザイニチの人たちに何かされたってことは、ただの一度もない。なのに噂で、自転車のチェーンでシバかれたとか、ナイフ出されたとか、鼻の穴にでかいビー玉入れられたとか、目をアロンアルファで留められたとか……、これらは実際に僕が聞いたものだが、そんな話が伝わり、僕は勝手に恐怖した。そして勝手な恐怖から、ザイニチという「属性」を一方的に禁忌した。それに記憶では、僕は同じ中学校にいたザイニチの子に、「おまえ、サッカーやったら日本代表と韓国代表どっち応援するん?」と言い放ったこともある。その子は、当然困惑した様子だった。僕は本当にバカだったと思う。

話はザイニチの問題だけで終わらない。僕は、英語がしゃべれないとマズいとされる芸術の世界で、英語がほとんどしゃべれないミソッカス芸術家なわけだが、そんな僕が小学校のころに初めて覚えた英語は、「サックマイピーナス(おれのちんちんを舐めろ)」だった。笑ってはいけない。誰に教わったかは覚えてないが、僕は小学生のころ、この言葉を近所で見かけた英語が通じそうな外国人たちに、言い回っていた。笑ってくれる人もいたが、彼らの胸中は複雑だっただろう。当時の僕は、「個人」ではなく、彼らを外国人という「属性」でしか見ていなかったのだ。

尼崎は「被差別部落」の問題もあって、いろいろ学校で習った記憶もあるし、開かれているのを見たことはないが、うちの家にもぶ厚い「同和教育」本があったのも覚えている。つまり他の土地より尼崎では、差別についての教育が盛んなのだろう。しかし僕は、このザマだったのだ。

僕個人が持つ、何が差別か差別でないかの線引きを、あえて細かくは書かないが、「個人」ではなく「属性」を、それもマジョリティーの立場からマイノリティーの立場の人たちを、蔑んだり、禁忌するのは、超絶アウトの差別だろう。恐怖からくる属性への禁忌は、自分で差別と認識しにくいから厄介だとは思う。しかし当時の僕は、やはり差別主義者だったんだと、自分で思う。

この際僕の膿を出す。さらに僕は、マイノリティーに属す「個人」への憎しみを、その「属性」全体へと広げた経験があるのだ。

高校生のころ、近所にトランスジェンダーのオバチャンが住んでいた。近所だとは知っていても、どこのどんな家に住んでいたのかまでは知らない。格好の目立つ人で、ゼブラ柄とかヒョウ柄とか、あとキラキラとか、いわゆる「大阪のオバチャン」風センスと、襟を立てたブラウスやらふわっとしたベージュのスカートやらの「神戸のオネエチャン」風センスが合体したような、妙なファッションセンスの人だったと思う。

名前は知らないから、この際、妙の字から「タエちゃん」にする。「タエちゃん」の年齢は、四十代くらいに見えたが、六十って言われてもびっくりはしない。

そんなタエちゃんと僕は初め、会えば軽く会釈しあう程度の関係だった。それを繰り返しているうちに、「みかん食べる〜？」とタエちゃんは、僕を見かけるたびに走り寄ってきて、関西オバハン必殺の、飴ちゃんやみかんを僕にくれるようになった。そういえばタエちゃんは、カマキリがうさぎ跳びをするような、走り方も「妙」な人だった。この時点では、僕がタエちゃんへ悪意を持つようなことはなかった。「トランスジェンダー」なんて言葉は、日本中で使われていなかった時代だが、尼にはそういった人が働くバーやクラブが多くあったせいか、僕には彼女らと会ったり話したりする機会がタエちゃん以外にもたくさんあった。なにより、僕はタエちゃんと知り合ったばかりのころは、タエちゃんを「個人」として見ることができていた。世間にも僕にも偏見がゼロかといえば、偏見はあったと思うが、まあでも僕とタエちゃんはしばらくの間、ご近所同士の平和な交流を続けていた。

その関係が変化したのはタエちゃんが、「だ〜れだっ？」と言いながら、僕の後ろから突然ガバッと現れ、僕の股間をまさぐってくる挨拶をするようになってからだ。

「ウラァ！　それ普通、恋人同士が目のとこにするやつやんけ！　クソオカマ！　なにすんねん！」

僕はそうやっていちいち抵抗していたが、僕を見かけるとタエちゃんは、毎回これをかましてくるようになった。このタエちゃん流の挨拶を、最初はギャグだと済ませていたが、僕は徐々にうっと〜しくて仕方がなくなっていった。実際悩んでいるってほどではなかったのだが、僕はふと、こんなことを考えたのだった。「普通の」オッチャンが、道すがらに高校生の女の子のオッパイを、「だ〜れだ？」なんてやったら痴漢で即アウト。パクられるのに、なんでタエちゃん「たち」は許されとんねん。「あいつら」は、「オカマキャラ」にかこつけて、調子乗っとんのとちゃうか！と。

そう考えてからは、僕はタエちゃんが大嫌いになった。というか、僕は世のトランスジェンダー女性全員が嫌いになっていった。僕はタエちゃんを一方的に避け、見かければあからさまにうっとうしそうな態度をとった。話しかけられても無視をした。そのうちタエちゃんも空気を読んで、僕に接触してくることはなくなった。今思えば、僕は彼女らを簡単に嫌ってもいい存在として、下に見ていたケもあった。そのことに当時の僕は気づいていなかった。タエちゃんと、もっと話せばよかった。本当は嫌いになるほど「個人」を、タエちゃんのことを、僕は何も知らない。

それから僕は恥ずかしながら、トランスジェンダーの女性やゲイの人に尻などを触られるたびに、「やっぱりな！」と彼女、彼らを「憎悪」し、差別心を膨張させていった。それは東京へ出てもしばらく変わらず、三十ちょい過ぎくらいまでそんな感じだった。僕は触られるのが嫌なのではなく、「特別な存在」をどこか論破した気になって、正論を言っているような気になって、悪意を増していった。「あいつらビョーキやねん」と、匿名のネット掲示板も真っ青の差別発言を、当時の僕は友達へ、本当に言っていた。そんな僕に怒ってくれた友達も大勢いたのに、僕は「自分では正論っぽく思える論」にしがみつき、自分を変えるのにクソほど時間がかかってしまった。

結局、ＬＧＢＴＱをはじめとした運動の歴史を知ったり、「属性」ではなく「個」で考えるという当たり前のことに気づいたり、マイノリティーとマジョリティーの権力構造を考えたりと、「気持ち」ではなく「知識」でしか僕は差別主義者から脱することはできなかった。

例のタエちゃんがよそおっていた「オネエキャラ」だって、「自分らしく」生きるためには職業を選べなかった時代に、トランスジェンダーたちがある種の「生存戦略」的に身につけたキャラクターなんだと、今なら思える。彼女らはそうやって、「世間」と「自分」との狭間で、翻弄されながら生きてきたのだ。そういう想像が、当時の僕にはまったくできなかった。そういうふうに考えられても、タエちゃん「個人」とはうまくやれなかった可能性もあるのだけれど。

今だって、尼という男臭すぎる街の男三兄弟で育ったせいか、僕はミソジニーのケがあるようにも思えるから、自分自身をピッカピカの「善人」だなんて思っていない。これからも「気持ち」ではなく、「知識」で考え続ける問題が、差別の問題なんだと僕は思う。そして大事なのは、自分を疑うことだ。

僕がクソ差別主義者に陥った話は、僕だけの責任で、僕の話だ。もちろん僕は尼崎の人が、僕のようなクソ野郎ばかりだとは思っていない。でも、そんなクソ野郎に陥る空気と状況が、当時の尼にあったとは書いておきたい。残念ながら僕だけでなく、僕の家族や友達や近所でも、そんなふうに陥った人をたくさん見てきた。外国人や障がい者、その他あらゆるマイノリティーへの蔑称を、僕は今でも尼崎で耳にする。どこかでケンカなど起これば、そんな言葉のオンパレードが耳に入ってしまう。けど、エラくもないのにあえてエラソーに書けば、尼人の平均的な気質を考えると、僕はこれから尼崎内での差別をなくすことは可能どころか容易なのではないかと思えてくる。

まず、「オモんない」ことは死んでもやりたくないっていう多くの尼人の気質を考えると、差別は確実に「オモんない」から、「オモんない」ことであると尼に広まるだけで尼崎内での差別はなくなる。差別秒殺！ そして、なにより僕ら尼崎の人間は、誰もが一度は蔑まれた経験があるはずだ。なんの脈絡もなく恐怖されたり、身の上を話すだけで同情されたり下に見られたり。なにしろ生まれ育っただけで、「育ちが悪い」血統書付きのドブネズミだ。そんなドブネズミの自分たちより下の属性を作らないようにするだけ。自分たちの蔑まれた経験を、他のあらゆる属性へ向けないようにするだけ。超簡単！　差別超秒殺！　そんなふうなドブネズミは、甲本ヒロト大先生が言うとおり、「やさし」くて「あたたか」くて「美し」いんだと、僕は思う。

この章の最後に、僕が２０１７年に発表した《さよならシュギシャ》という映像作品を紹介する。この作品は、僕が様々な「〇〇主義者」、ロマンチストやらアナーキストやらポピュリストやらナルシストやらサディストやら……に扮している作品だ。レイシストもある。シナリオやセリフは、松下学くんというイデオロギーに詳しい友人に手伝ってもらい、やや大げさに、過激に設定されている。この作品で僕は、既存の「〇〇主義者」に「同化しすぎる」ことを、滑稽に描きたかった。思えば、差別主義者だった過去の僕は、尼崎にある空気を読み、尼崎にある文化を妄信したような、「尼崎」に同化した「アマガサキスト」だった。誰かが発明した思想や、その土地〳〵で醸成された考えに「同化」すると、ラクではある。自分で考えなくていいし、思想なら答えのようなものを見つけた気になれるし、同じ属性同士内では傷つくこともないどころか、褒め称え合って気持ちがいい。

けれど同化は、「個」をなくし、客観的に自分や自分の属性を「疑う」機会をなくす。同化して「同じ属性」の人たちなんかを愛しすぎるあまり、「異なる属性」の人たちを攻撃していい、なんなら殺してもいいとすら思うかもしれない。

「家族のために〜、街のために〜、お国のために〜、世界のために〜、社会のために〜」誰かを排除しようとする。同属性の誰かを笑わすため、喜ばすため、守るため。大げさに書けば、そんなことを起こすのが「同化」だと思うし、僕が過去に陥ったのは、そういう状態なんだと思う。

まあ、なんかに「同化」して、Twitterあたりで延々と不毛なポジショントークを繰り広げ続ける人生を送りたければそれでもいいし、客観的に自分を疑い続ける人生は、それはそれで孤独だとは思う。なにより、「間違っちゃいけない」ような空気が社会に蔓延しているような気も、僕だってしているから、「正解っぽい」思想に同化しようとする気になるのもめちゃめちゃ理解できる。でも少なくとも僕は、もう「同化」はごめんだ。あらゆる「知識」や「思想」に触れたいし、利用もしたいけど、絶対に同化はせず、最後は自分で考えることにする。《さよならシュギシャ》という作品は、僕の「自分で考えます」宣言でもあるのだ。

誰かに怒られたときに、幼児が言う「……だって、『おかん』が言うてたんやもん！」の、「おかん」の部分が何者かに換わっただけの人を僕は大人だとは思わない。経済的なことよりもまず、僕は心を自立させたい。僕が考える本当の大人ってのは、そんな感じだ。

奴らは醜いクズだ
Racist
松田《レイシスト》　修
They chimeras are born ugly.

Populist
松田《ポピュリスト》　修

僕は僕だけを
見つめていたい
Narcissist
松田《ナルシスト》　修
I want to just stay to myself...

《さよならシュギシャ》2017年／ビデオ
環境が人を育てるからこそ、なにかに同化するのではなく、むしろ「個」であり続けるために知識はあるのだと松田は考える。
協力＝松下学

お芸初《げいぞ》め

「恥の多い生涯を送って来ました」と書いたのは、文豪のオサムちゃん。そして、美術のオサムちゃんであるワタクシは、恥が多いのはもちろんのこと、「流されることの多い生涯を送って来ました」って感じだろうか。

前章では流されまくって差別主義者に陥る僕の話を書いたが、特に十代二十代のころの僕は、自分一人で決めたこと、ちゃんと考えて決めたことなんて、ほとんどなかった。流されるままだった。ある日中学生だった僕は、おかんから、「中学終わったらギムキョウイクは終わりや。卒業したら、家出て自立せなあかん。どうするか、あとは自分で決めるんやで」と、実家の退去宣告を受けた。人生でいちばんビビったのはこれかもしれない。

そう言われた日は将来が不安で、眠れなかった。でも実際は、そんなに困ることもなかった。当時の尼には、僕のようなやつが山ほどいて、近所の世話好きのオバチャンたちが、「立花のほうにガソリンスタンドあるやんか。あそこの社長さん、知り合いやから紹介したろか。たしか、求人しとったで」とか、「根性決めたら職人さん紹介したんで」とか、住む家を決めるのだって「杭瀬駅から徒歩10分。そのボロアパート、掃除せんでよければ月1万でええって言うてたで」と、なにかにつけいろいろ紹介しまくってくれたのだ。今はどうかわからないが、当時の貧困地域は貧困地域なりに、こういった生きていくためのネットワークやコミュニティーがあった。

でもまあ中学卒業後、そんな感じで最初に紹介してもらった、園田にあったベルトコンベヤーで作業し続ける部品工場は、半日でバックレたのだが。僕がミスるたびに全体作業がいったん止まるその仕事は、永遠に「スベり」続ける劇場の舞台のような緊張感があり、根性なしの僕には耐えられなかった。流されるのが得意な僕が、流れ作業が不得意であるというのは皮肉でしかない。とはいえ、特に自分からやりたい仕事や住みたい家を見つける意志もない、ないないづくしだった僕は、結局その後も誰かに紹介されるがまま、仕事も家も、何もかも決めたのだった。そうして一人暮らしを始めたばかりのころ、「ほんまに生活に困ったら、市役所の福祉課へ相談しに行ったらええねん！　大丈夫や、なんとかなるて！」

おかんからこんなふうに言われたことを覚えている。不安だった僕には悪魔に見えたが、まあなんとかなったから文句はない。

高校入学も流されるまま。まわりの友達が行くから行くって感じで、僕と同じように、働きながら自費や奨学金で通っているやつもまわりにたくさんいたから、「働きながら」

が特別大変なことだとも思わなかった。行きたい高校もなかったから、家から近くて、名前さえ書ければ入れる高校、当時親しかった友達がいる高校に決めた。現人神の松ちゃんと同じクソ工業高校だが、それは理由じゃない。赤から緑から、それ何色やねんていう色まで、あらゆる色の染髪学生が揃っていた学校だったが、イキる気もないのに僕も金髪だった。

その後も流されるまま。遊びにかまけて1年ダブっていた僕は卒業後、先に上京していた友達のところへ、片道切符で転がり込んだ。東京でやりたいことがあったわけではない。卒業が決まったタイミングで、友達から電話で「遊びに来なよ」と誘われて、「ほな！」と何も考えずに行ったのだ。このときは、東京を遊び倒して、飽きたら帰ろうと思っていた。最初に東京に降り立った場所は、夜行バスの停留所、新宿の西口だった。当時はそこに多くのホームレスたちがいた。ホームレスは尼で見慣れていたが、東京のホームレスたちはどこか文化的に見え、なによりその数に、「東京エグい」と少しビビった気がする。

しばらく消費者金融頼みの生活をしたあと、いろんなバイトを短期で転々とした。そして、「アホの子でもめっちゃ儲かるらしいで」との友達の助言から、最後はトラックの運転手の仕事に落ち着いた。この運送会社では、徹底的に、本当に徹底的に関西弁を直された。

かせいだ金は、パチンコ、キャバクラ、フーゾク、ゲーム……、浅い欲望に注ぎ込んだ。パチンコで勝ったら、景品の安いブランドもんをキャバクラ嬢に「汗水たらして777揃えたんやで」とプレゼントした。なじみになるくらいには通った性風俗店では、「新しい娘《こ》、入った?」と、何十年通った顔してんねんという態度で店員に話しかけた。

そんな日々で、僕は当時何をするのでも友達と一緒だった。自立した精神0パーセント。流され度MAX。おのぼりさんどころか「おかけあがりさん」。あのころしていたことは別に尼でもできたのだけど、東京が、僕を加速させていた。住んでいたのは新宿からほど近い東高円寺。十畳くらいのでっかいワンルームに、五、六人男ばかりで暮らしていた。正確な人数がわからないのは、住んでいる人間が入れ替わり立ち替わりだったから。今では悪名高い完全なるホモソーシャルな空間だった。住人の会話の半分以上がフェミニストが激怒するであろう下ネタで、毎日茶化し合って暮らしていた。そういえば、尼崎も男臭いホモソーシャルな街だ。今さらながら、あの場所を「リトル・アマガサキ」と名づけよう。

「おれ、美容師になろうと思てんねん。せやから、もうおまえらとクソみたいな遊びはやめて、金貯めるわ」

そんななか、僕らのうちのひとりが、こんなことを言い出した。決意の宣言である。しかし僕らは、それぞれ自分の欲望だけがくっきり見え、他はかすんで見えるような生活をしていたからか、初めは誰も気にしてなかった。

「おまえ、朝から晩まで立ってたりできんのけ。チンポとちゃうねんぞ」

「おまえ、家の洗いもんもキツいくらい肌弱いやんけ。やめとけ、やめとけ」

そんなクソみたいな足を引っ張る発言はしても、応援するやつはいない。でも、大阪・豊中市出身のNは鉄の意志を持っていた。そもそも東京に出てきたのもこいつが言い出しっぺ。美容師になる宣言以降、Nはキャバクラどころかみんなでやっていたテレビゲームにすら付き合わなくなった。そのときの、遊んでいる僕らを蔑むNの目が忘れられない。僕らもだんだんと、どちらがクソなのかくらいはわかってくる。そして、伝染していく。

「おれ、法律家になるわ」

「おれ、沖縄行って農家やるわ」

いつの間にか、欲望シェアルームこと「リトル・アマガサキ」は、夢や目標がなければ人間じゃないくらいの空気になっていた。マウンティングなんて言葉はまだ聞いたこともない時代だが、それぞれがそれぞれに、「夢マウンティング」を仕掛けまくっていた。

「おれ、日本一の焼き肉屋目指すわ」

ついに、「おまえ働いてないやんけ」のやつまでそう言い出し、気まずく毎日ごまかしていた僕も、「あかん。なにか決めな」と追い込まれた気持ちになっていた。リトル・アマガサキの誰かと一緒にメシを食うたびに、隣から「焼き肉屋は弁当屋とセットで開くと、食材を傷めずうまく回せるらしいぞ」なんて素人のクソアドバイスが聞こえてくる。僕は焦った。しかし、このころの僕には「やりたいこと」などなかった。というか、それまでの人生でも、そんなことは一度も見つけられなかった。焦って焦って焦って、追い込まれて追い込まれて、「おれは……、映画監督になろうかなあ。なんつって。ハハハ」と、僕は将来の夢のマウンティング合戦へ、自嘲気味に参戦したのだった。

僕は高校のころに働いていたガソリンスタンドの同僚だったサブカル好きのニイチャンの影響で、当時映画を大好きにはなっていた。このころは、単館シネマとかミニシアターなんて呼ばれる、いわゆるハリウッド系ではない映画が大いに流行っていた。『レオン』で知られるリュック・ベッソンが天下を取っていた。僕はそれらをオシャレでカッケーと思っていたし、なかでも「ツインピークス」『エレファント・マン』『イレイザーヘッド』……など、どこか狂った雰囲気のドラマや映画を作る、デイヴィッド・リンチに心酔していた。だからつい、映画監督になりたいなどと口走ったのだが、「なれる」とは微塵も、ニュートリノくらいも思っていなかった。しかし僕の予想に反し、マウンティング合戦は、「言っただけ」では終わらなかった。

無職同然だったやつが、みんなの情報と圧力により、昼間は焼き肉屋、夜は資金かせぎで水商売のバイトを始めたときに、僕も「逃げられない」と予感はしていた。「映画監督になるには、美大にでも行ったほうがいいんじゃないか？」と、毎日頼んでもないのにアドバイスを送られる。それだけでなく、頼んでもないのに同居人たちがいろんな情報を集めて、僕の下へ持ってくるようになった。ついにおれの番が来たかと思った。最初はへらへらごまかしていた。するとある日、毎日修業とバイトでしんどそうな「焼き肉屋見習い」が、「美大に行くには美術予備校ってところで絵を習って、受験するみたいだな。おれ一緒についていってやるから話聞きに行こうや」って、これまた頼んでないのにピポパッと電話予約をし、話を聞きに行くことになってしまった。今思えば、焼き肉屋見習いは「巻き添え」が欲しかったんだと思う。

焼き肉屋見習いが電話予約をしてくれたのは、リトル・アマガサキのある東高円寺から10分くらいで行ける、新宿の美術予備校だった。この予備校になったのは、たまたま友達がチラシを見つけてきたからだと記憶している。結果、美大受験の予備校としては超大手だったのだが、大手かどうかも当時の僕らはわかっていない。駅から数分で着いたボロいビルの何階かに上がり、ボロい受付からボロい奥の部屋に通され、年齢不詳のオッチャンが、僕らの相手をしてくれた。その部屋に行く途中、同年代の若者とすれ違い、焼き肉屋見習いが、「おっしゃれ〜なかわいい子いるじゃん。おれ通おうかな」と、僕の耳元でささやいた。僕は「アホ！　キャバクラとちゃうねんぞ」とつっこんだ。僕らの「文化違い」なノリに、オッチャンは大いに困惑していただろうが、そのときの僕らにはまったくわからなかった。オッチャンは、ひととおり予備校の説明をし、在校生の作品を見せてくれた。とはいえ、当時の僕にはオッチャンの話が九割九分理解できなかった。オッチャンが何回か席を外すたびに、焼き肉屋見習いは勝手にまわりを漁り、「おい！　ぬぬぬぬヌード画があるぞ！　おれマジで通おうかな！」とかやっていた。ぶれないアホの子を許してやってほしい。

予備校に来てから1時間くらい経った、オッチャンが合格率など数字の話をしだしたころ、焼き肉屋見習いはすっかり飽きてしまったのか、隣から僕の顔をチラチラチラチラのぞいてくるようになった。僕は空気を読み、オッチャンへ単刀直入に聞いてみた。

「あの、僕、映画監督になりたいんです。ナニ大のナニ科に行けばいいか、ナニをどうしたらなれるのか、何もわかってなくて……」

「ああそれなら、ムサ美には映像科があったかな。タマ美にはあったかなあ……」

ムササビ？　タマビン？　なんですかそれの僕の顔を見て、オッチャンはぶ厚いパンフレットを差し出した。僕はそれを受け取るやいなや、すぐに授業料のページへ飛んだ。

「うわたっか！　私立大学は無理ですね……。貴族しか通えないでしょ、こんなん」

「なら、授業料の安い東京藝大かなあ。きみ、大学入ったらどんなことやりたいの？」

「どんなこと……を？」

どんなことをやるかなんてまったく考えてなかった。僕はとにかくまわりに流されて、映画監督のなり方を聞きに来ただけだから、焦った。そこで、「デイヴィッド・リンチっているじゃないですか……」。どんなことをやりたいかの答えを避け、僕は一生懸命リンチの映画の話をした。やりたいことをやる人だらけの巣窟で、やりたいことがないことがバレるのが嫌だったのかもしれない。

「あと、ポール・マッカーシーってわかります？」

リンチの話にうなずくだけのオッチャンに、僕の焦りは増し、ごまかしは第二章に入る。当時の僕は、芸術としてやっているとかお笑いとしてやっているとかの興味も区別もなかったから、ポール・マッカーシーは「下品なサブカルおじさん」という認識だった。今も影響を受け、大好きな芸術家のひとりだが、このときは目の前のオッチャンがあまり知らなそうな名前を出して、とにかく浅はかな自分を隠したかった。その思い自体が浅はかなことだと当時は気づかず、僕はオッチャンと隣にいる友達に「ちゃんと考えてるんです」アピールを、必死に続けた。

「……マッカーシーみたいに、ケチャップ漬けになったり、大木とセックスしたり、そんなアホな映像撮ったりして生きていきたいんです」と、最後はやりたいことというより「こんなふうに生きたい」に着地し、僕はもう満足していた。なぜか隣の焼き肉屋見習いも満足気だった。そして、僕の長ったらしい話をウンウンうなずきながら聞いていたオッチャンが、静かにこう言った。

「きみは、油絵科だね。油絵科に行ったほうがいいよ」

「油絵科？」

「そう油絵科」

「え〜と、僕の話聞いてました？　油絵って……金持ちの家にある、ゴテゴテした絵のことですよね？　だいたい僕、絵なんてほとんど描いたことないんですが……」

「大丈夫。たくさん描けば、誰でも描けるようになるよ！」と、オッチャンは僕の応答に食い気味で言い、続けて、「それに、絵を勉強すれば、映像はもちろん、写真も撮れるようになるし、なんでもできるようになるんだ。要は四角の問題だからね。絵も映像も写真も、四角の表現でしょう？」。明らかに戸惑っている僕に向けて、そう断言した。

「ウソこけ！　そんなことあるか〜！」。僕は口には出さなかったがそう思った。同時に、「ここはあかんわ」とも強く思い、キャバクラに行って持ち金が不安になって急に席を立つようなノリで、早々に退散することにした。何度も無料の体験入学を勧められたが断り、「いろいろ自分でも調べて、よく考えてみます」なんて言って予備校を出た。二度とここに来る気はなかった。帰り道では、ヌードってひと月にどのくらい描くのかなで頭がいっぱいの色魔相手に、「あのオッチャン、ただただ通わせたいだけやん！　東京怖いわ〜。センセー失格やろ！」と、僕はオッチャンの悪口三昧だった。あとで知るのだが、僕らがすっかり「センセー」だと思っていたオッチャンは、受付のおじさんだったのだが。

しかし、それから何日経っても相変わらず、リトル・アマガサキでのうっとうしい夢マウンティング合戦は続いていた。僕も変わらず、一応映画監督になろうとするフリくらいはしていた。インターネットはまだまだ重要な情報が載っているような時代じゃなかったから、本や雑誌、特に映画監督の履歴や自伝なんかを調べたりしていた。そしてある事実にたどり着いたのだった。

「あのオッチャンの言ってること、ほんまやんけ！」

僕の映画監督になるフリ調べで、デイヴィッド・リンチも、黒澤明も、北野武も、もちろん芸術家のポール・マッカーシーも、絵を、しかも油絵を描いていることが判明する。判明するたびになんだか感動したし、びっくりした分、僕はいつもより迅速に行動した。

「すみません！　体験入学を申し込みたいのですが……」

当たり前だが、今度は自分で電話をした。

オッチャンとの面談から2週間後、僕はそんな感じで体験入学を申し込み、生まれて初めて一日中絵を描いた。何を描いたかまったく覚えていないが、たぶん鉛筆でデッサンをしたのだと思う。6時間くらいで描くところを僕は要領がわからず、5分ほど描いて終わったとか言っていた。僕が終わったと告げるたびに体験入学担当のセンセーが、まだまだ描き続けるためのアドバイスをくれた。おまけに、「独特で、いい絵を描くね！」やら「意外と繊細な絵を描くんだね！　素晴らしい！」やら褒め殺してくる。初心者なら誰にでもそうやるんだろうけど、あまり褒められ慣れてない僕はこの日、本当に身も心も褒め殺されまくった。入学させるために、誰にでもそうやるんだろうけど、僕はめちゃくちゃうれしかった。描き終わったあとに受けた講評もそんな感じ。それでも、この日の最後に行われたセンセーとの面談では、「今から絵を描くのを始めて……、大学、受かりますかね？」と僕は不安げに聞いた。身も心も褒め殺されているとはいえ、僕は「現実」がそんなに甘くないことを、よく知っていた。

「きみなら絶対行けるよ」とセンセーは力強く返してくれた。このときの体験入学のセンセーは、まさにプロフェッショナルというか、僕を「その気にさせる」名人だった。営業能力高すぎ。僕が単純だったのもあるが、僕は一日でめちゃくちゃ調子に乗り、すっかり「その気」になったのだった。

調子に乗ったあとは早かった。職場に事情を話して辞めることを伝え、あとは友達やら消費者金融やらで金をかき集め、すぐに予備校に通いだした。おかんも貸してくれた。受験が終われば長距離トラックに乗りまくって、なんぼでも返せると思っていた。そして、予備校に通って1か月後には、まわりの生徒やセンセーにも影響され、「おれ、映画監督じゃなくて、画家になるわ！」と、リトル・アマガサキで宣言していた。我ながら流されすぎていて、「おまえ、それでええんか？」とつっこみたくなる。

それから何年もこの予備校に通い、何回も受験し、失敗するたびに、辞めると伝えた運送会社に戻って金を貯める生活が待っているのだが、当時始めたばかりの僕には想像できなかったことだ。とにかく流れ流され、僕はこうして「うっかり」芸術の入り口の入り口にたどり着いたのだった。

これが、尼崎の出屋敷駅周辺の出身者のなかで、「現代アート」「現代美術」などの言葉を史上初めて口から出したとされる、オゥサム・マトゥーダ（1979年〜）の始まりだ。あれからたくさんの芸術家に出会って、いろんな芸術家のなり方や始め方があるのだと、今現在の僕は知っている。

しかし、僕にはこの一本道しかなかったと思う。流されなければ始まらなかった、危うい一本道だ。帰っても特に仕事があるわけではないのに、なぜか「飽きたら尼に帰ろう」と思っていた僕を、飽きさせない芸術道に導いてくれた人々のことは、忘れないようにしたい。ちなみに、リトル・アマガサキのNは肌の弱さにも負けず、ちゃんと美容師になった。焼き肉屋見習いは、焼き肉屋とセットではない、ソロの弁当屋を開いてがんばっている。

《Across the Universe》2019年／ビデオ
放尿を交差させるビデオ作品。尼崎時代はもとより、「リトル・アマガサキ」ではこのようなことが毎日行われていたという。「いつか阪尼名物『歩きション』も作品化したい」とは松田談。

天才っぽい

「松田くんは結局、芸術エリートだもんなあ」と言われることがある。僕が東京藝術大学を出たからだ。この言葉のニュアンスはたいていの場合褒めているのではなくて、ある種の「ズルさ」とか、「権威に対するいら立ち」なんかが含まれている。まあ、僕は毎回苦笑するしかない。関西では、尼崎出身だというだけで蔑まれ、東京出てちょっとがんばって藝大に行ったら、今度はエリートだと疎まれる。いったいどうしたらよかってんの苦笑だ。そもそも、僕は「藝大」が水戸黄門の印籠のように効く場面なんて一度も体験したことなんてないし、効く場所があるなら行ってみたい。まず、僕の家族にはまったく効かない。

「あんたの行きたいのって、トウキョウ〜……なに大やったっけ？」

「おさむの行った大学て、トウキョウ……なんやっけ？」

と全員が全員、入る前も、入ってても出てからも、こんな感じ。うちの家族はどんだけ口から「芸術」が出てこないんやと嘆きたいが、数ある東京○○大学って名前の大学のなかの、あんまり聞いたことがない大学っていうのが、うちの家族の認識だ。そして、アホだった僕が、算数あたりから一生懸命勉強をやり直して入学したと思っている。そのほうが僕に都合がいいから、絵を描いて入ったとは僕も家族に言っていない。さらに言えば、大学を出たあと稼ぎがよくなったりもしてないから、大した大学に行ったとは家族の誰もが思っていない。まあ、それでいいのだ。まわりにいる友達も、僕をエリートあつかいなんてしない。僕が大学の三年生くらい、お互い二十代のときに、「中卒」が売りのChim↑Pomの卯城竜太くんから、「芸術を誰かに教わろうとして、大学行ってる時点でだめなんだよ。芸術ってそういうもんじゃないじゃん」と言われ、がーんってマンガみたいにショックを受けた覚えがある。そのとおりだと思う。芸術は、自分で考えて、自分で勝手に始めるのが理想だ。

とはいえ、ネットの情報網がまだそんなでもなく、おもしろい場所をキャッチするアンテナもそんなに鋭くなかった僕は、やはり美大に行かねば芸術を始められなかっただろう。今でもそんな僕のような、芸術を始めたいが、鉄の意志もない、ナチュラルボーンアーティストではない人間には美大をおすすめする。僕にとっては日本で、「入れて通える唯一の大学」が東京藝大だったけど、個人的にはどこの美大でもいいと思う。私大に行ける財力があるなら、それも才能だ。極端に書けば、どんなにクソ先生ばかりで授業内容が全部クソでも、同じ芸術を志すたくさんの人たちに会える場所、刺激し合える人たちに会える場所として、美術大学はこれからも最低限機能していくと思う。そこには、情報やコミュニティーがあるだろうから「無」にはならない。まあ、芸術の有料出会い系アプリみたいなもんだと考えれば、サクラは一応いないだろうから「優良アプリ」だってことだ。

そんな美大のなかでも、東京藝大を僕が「入れて通える唯一の大学」と前述した理由は二つある。一つ目は学費が安いこと。あらかじめ設定されている授業料なんかが、他の大学と比べてケタ違いに安い。さらに、助成金制度がめちゃくちゃ充実している。僕は大学生時代、受付にいる人たちとお互い顔見知りになるほど、学生課窓口に足しげく通った。そこで知る、あらゆる助成に申し込み、授業料タダどころかあまりバイトしないでいいくらい助成金をもらった。僕は、生活に困ったら市役所の福祉課へ相談に行けとおかんに言われてきたが、それに似たようなものか。片親で低所得の貧乏国士無双なら無敵で、通らない助成金なんてないくらいだった。そういう人たちにとって東京藝大は、通いやすいのではないだろうか。

二つ目は、入学試験で学力がほぼいらないこと。愚かすぎる僕は、十代で学力を「いらないもの」と見切ってしまい、クソ工業高校も教科書がピカピカなまま卒業した。そんなだから、東京藝大の入試を受けるために課せられていたセンター試験は、毎回マークシートを「2」で統一して提出していた。一度、過去問題をまじめに解いたら、統一するより点数が低かったのでそうしたのだ。大学在学中には、同じ学年ではないやつだったが、掛け算の7の段があやしいってアホにも会ったことがある。で、今はどうなんだろうと気になって、受験に携わる友人に、「今、アホの子は合格できないの？」と質問してみたら、「今年も無事アホが入りました」と返ってきたので、貧乏アホの子が唯一行ける大学ってのは健在みたいだ。しかし、芸術家に学力がまったく必要ではないと、僕は思わない。海外では英語がしゃべれない芸術家は芸術家あつかいされないから、特に英語は勉強したほうがいい。何度も味わった、僕の実体験だ。

あとは絵さえクリアすれば大学生になれる。入ってある程度まじめに制作できていれば、行きたきゃ大学院にも行ける。僕はおいしすぎる助成金生活を延ばしたいのを目的にして大学院に進んだ。それに院卒といえば、尼の地元では少年院卒しか僕は聞いたことがないから、この先行き詰まって困ったら、大学院修了しましたっつって市議会議員あたりに立候補したらいけるんちゃうかって、僕は妄想を抱いている。でもまあ本当に、芸術家になるには別に美大に行かなくてもいいし、今は、僕が以前かかわっていた美学校みたいな、大学ではないオルタナティブスクールの情報もネットにはたくさん転がっている時代だ。なにより、芸術は勝手に始めるのがいちばんであるという前提で、僕の受験体験を通した藝大受験のすすめを書いておく。

「きみは油絵科だね」の受付のオッチャンに流されて、僕は油絵科を選んだわけだけど、当時僕が受験を始めたときにはなかった、先端芸術表現科というものが今は存在する。今なら、僕はそっちを選んでいたと思う。しかし、いちばん大事なのは、どの科を選ぶってことよりも、大学受験は「芸術の才能を測る」試験ではないってことだ。断言できる。僕のときから時間が経って、内容が変わっていてもこれは変わらないだろう。現行の、美大ではない他の大学に合わせた受験日程では、才能を見抜くなんて不可能だ。村上隆も会田誠も浪人している。つまり、受験は受験ってこと。「傾向と対策」が大事ってわけだ。やることが違っても、努力の方向性は他の大学を受けるのと変わらないと、僕は思う。強いていえば、絵画系は毎日アホみたいに絵を描くのが苦痛でなければＯＫだ。

僕は、何年も半年トラック運転手、半年予備校生活だったわけだが、このへんをカンチガイしていて、我ながら最初の2年くらいはもったいなかったと思う。僕は完全に、誰もそんなこと言ってないのに、最初受験を「天才度」を測る試験だと思っていたのだ。しかも、天才なんて見たことも会ったこともないのに、どこで刷り込まれたのか、頭の中に「天才イメージ」が住んでいた。このイメージは、たぶん最初はテレビの「裸の大将」あたりからきたものだと思う。そして、当時僕が通っていた美術予備校では、まさに僕が勝手に思う「天才っぽい」やつがたくさんいて、僕はカンチガイを加速させていった。

たとえば、今も親友で、２０１８年に催された「にんげんレストラン」での僕の物乞いパフォーマンスではいち早く駆けつけてくれ、腹巻きと靴下を差し入れてくれた板垣賢司くん。板垣くんは大阪の吹田市出身で、同じ関西だからか僕とウマが合ったのだ。当時の板垣くんは、蹴ったら全身の骨が砕けるような超絶細身の体に、上下パジャマと革靴という不審者全開スタイルで毎日予備校に通っていて、おまけに極度の虚弱体質だった。絵を描くたびに腱鞘炎になっていた。けれど、デッサン力は三百人以上いたであろう予備校の中でもピカ一で、僕から見て本当に天才っぽかった。僕は尼崎でこんな人、見たことがなかった。

絵を始めたばかりの僕は、そういう人たちに囲まれたなかでも天才ぶるために、「生き様のオモロさ」で勝負することにした。徹底的にデッサンしないことにした。課題でモチーフが出ても、ほとんどの場合描かない。描く場合も観察しない。そんなスタイルの僕が、生まれてはじめて、人物のヌードで油絵を描いたときのことをはっきり覚えている。油絵の具の高いやつは、本当にえげつないくらい高くて、そのなかに「バーミリオン」というオレンジ色に似た赤色がある。10センチくらいのチューブで5000円弱くらいする。天才風にかぶれた僕は、ヌードモデルの乳首をその高価なバーミリオンだけで描いて、課題提出した。40人くらいのクラスでの全体講評で、「乳首をバーミリオンだけで描いたんすよ！」と満足げに繰り返し言う僕へ、センセーは「困る」以外の選択肢がなかっただろう。

他にも、僕は朝がめちゃくちゃ苦手で、そのせいで高校をダブるはめになったのだが、めずらしく朝早く起きられた日でも、僕は予備校には行かなかった。そんな日は、予備校の近くに住んでいた板垣くんの家に行っていた。一日中テレビゲームの「ドンキーコング」をやっていた。そして、「そろそろやな」なんて課題の終わる5分前とかに予備校に行って、画用紙を舐めたり、半分食べたりして提出していた。我ながらアホすぎて泣ける。なんて意味のないことをやっていたのだろう。授業料が本当にもったいない。しかし、僕はこういうことが「天才っぽい」と思っていたのだ。

そんな僕はもちろん落ちるし、虚弱体質にも負けなかった板垣くんは、先に私立の美大へ行った。このころの僕と板垣くんがした会話を板垣くんが覚えていて、後に教えてくれた。場所は板垣くんの家で、夜に僕が泊まって、二人でおしゃべりしていたときの話らしい。ちなみに板垣くんの家は、ほとんど光が入らない、ドラキュラも安心の遮光カーテンぴっちりの部屋で、ヒステリーな人がガッツガッツ物に当たりまくったあとくらい、いつも散らかっていた。僕は当時この部屋も、天才っぽくて好きだった。そんな部屋で、「おれ、体も弱いし、この先不安やねん。不安で、恐怖に襲われるときがあるねん」なんて、板垣くんはその夜僕に不安を打ち明けたらしい。「こんな部屋に住んでるからちゃうか」と、そのころの僕は言わなかったみたいだ。

「画家になったらええやん」

この先も描き続けたら、板垣くんはきっと画家になるのだと僕は信じきっていた。

「う〜ん。おれ、なれんのかなあ〜。なりたいかどうかもわからんしなあ〜」

「そうなんや……。ほな、板垣くんはデッサン上手いんやし、この先な～んも描きたいもんが見つからんかったら、エロ漫画家になったらええやん。エロ漫画はたぶんなくならんし、いけるいける！」

「エロ漫画家か～。でもおれ、エロくないしなあ………、どうやってエロいもん描いたらええかわからへんわ」

「そんなもんなぁ、なんでもかんでもビショビショに描いたったらええねん！　ビショビショにしとったらなんでもエロいねん！」

クソみたいな会話だ。けれど板垣くんは、この僕の無責任なアドバイスを思い出し、美術大学卒業後はエロ同人作家として荒稼ぎし、生計を立てている。他にも、類まれなデッサン力を生かしていろいろな芸術家と共同作業している。あれから20年以上経つが、僕とはあのころと大して変わらない付き合いをしている。板垣くんの服装は、もう上下パジャマに革靴ではないが。

板垣くんが予備校からいなくなり、ほどなくして「あ、美大受験て天才の試験とちゃうわ」と、ようやくアホな僕は気づく。「天才っぽさ」への憧れが、ゼロになることは最後までなかったが、合格率を上げるには、やはりデッサン力が必要だと認識し、「普通のデッサン画」を毎日描いた。さらに言えば、審査する美大教授の好みみたいなものを含めた入試の「傾向」を理解し、それに必要な能力をつけて「対策」をするのが受験だと気づいた。ケーコーとタイサクだ。受験は発想や創造の場と考えるより、日ごろの訓練の、成果発表の場と捉えるほうがうまくいくと思う。

こうドラスティックに割り切って書くと、反発もあるかもしれない。でも、新しい発想や創造を、受験で描く一枚の絵だけで見抜く眼力の持ち主なんて、僕は大学で会ったことはない。しかも受験では「説明」もできない。一枚を見る時間も少ない。あと、最新の芸術を観て回り、受験の参考にしようなんてセンセーもいない。そもそも、「観て回る」大学教授って人が、ほとんどいない。だから「デッサン力」という観てわかりやすいものを中心に、「ああこの人本気でがんばりそうだな」なんて、判断しているのだと思う。でも、芸術を学びたい人が、そこそこ努力すれば入れるようになっているって考えれば悪くない。デッサンは枚数こなせば誰でも本当に上手くなる。受験のレベルなら誰でも到達できる。早く上手くなる人とゆっくり上手くなる人はいると思うけど、上手くならない人はいないと思う。立方体を描こうとして三角錐《すい》になるくらいのデッサン力から始めた僕でも、そこそこは上手くなったから。

そんな考えで、デッサン力を上げようと思ってからは、資金稼ぎのために半年トラックの運転手をやっているときも、僕は毎日デッサン画やクロッキーを制作した。油絵科の受験では、人物を描く課題が多かったのもあって、なるべく人を描くようにしていた。僕専用の人物モデルなんてもちろんいないから、雑誌を見て描くことが多かった。そんなときはなるべく裸体に近いグラビア写真を選び、プロレスラー、力士、アイドル雑誌、そして「使い古した」エロ本のお世話になった。特にエロ本は、「リトル・アマガサキ」の過剰資源だったので、二次利用しまくった。疲れているときは5分くらいで済ませたが、とにかく毎日絵を描いた。僕はこういうとこ、良くも悪くもキマジメで、今も締切を守るべく、深夜午前2時にこの文章を書いている。

記憶に残る「天才っぽい」感じで言えば、僕も板垣くんもお世話になった、関西の淡路島出身のセンセーもそうだった。絵に熱い人で、僕が映画監督じゃなくて画家になりたいと流されるきっかけになったひとりだと思う。

「絵はサァ〜、『関係』なんだよ！　モチーフとモチーフの『関係』を観察するんだよ！」と毎日熱く語っていたのを覚えている。その熱さのせいか、生徒のひとりに熱烈に恋をしてしまい、絵の講評中に、「みんな素直になろう！　僕も素直になる！　○○さん、好きです！」と今考えてもよくわからん理屈で告白をした。そのあとは少しだけその生徒と付き合って、盛大にフラれた。そして、気まずくなったのか、他の生徒からクレームもあったのか、受験間際のギリギリに、予備校を突然退職した。激怒する生徒も多かったが、僕はその「天才っぽさ」に感動すらしていた。そんなだから、その年もやっぱり試験に落ちた。

予備校時代全体でいえば、僕は毎日ストイックに過ごしていたわけでもなく、予備校には遅刻しまくっていたし、このころからヘビースモーカーで、汚い階段の踊り場にあった喫煙所では、「喫煙所のヌシ」と呼ばれていた。「教室よりも長くおるんとちゃうか」と、他のクラスの人にも思われていただろう。思えば、これも「天才病」からきたものだ。最後までそんなだったけど、後半の何年かは、たとえ何時に起きても、太陽がサヨナラする寸前に起きても毎日通ったから、最低限のことはやっていたと思う。

それと、予備校では悩んでいる人ばかりだったが、僕はドリス・デイもびっくりのケセラセラで、あまり悩まなかったのが功を奏した気もする。当時付きあっていた彼女にフラれて、「見返してやる〜！」という精神力より「青春力」がプラスに働いたのもある。しかし、最後にいちばん僕の動力源になった力は、「もう受験は今年でやめる」と決心した力だと思う。絵を毎日描く生活は楽しかったけど、さすがに空虚とも思える繰り返しの年月から、脱したかった。刺激の少ない修行僧のような生活に飽き飽きしていた。もう一度生まれ変わっても、こんな美大受験だけはごめんだ。

でも、そんな空虚とも思える時間ですら、経験として生かせるのが芸術だ。何ごとも無にならない。予備校生時代に感じた繰り返しの虚しさ、そして尼崎にいたころから感じていた人生の虚しさは、確実に僕の作品に反映されている。たとえば、短いビデオをループさせた作品は、自分でもそう感じる。淡々と、殺伐とし、しつこく繰り返されるようなビデオ作品だ。芸術に、「尼の美意識」もしくは汚意識を持ち込む気満々だった初期作は、

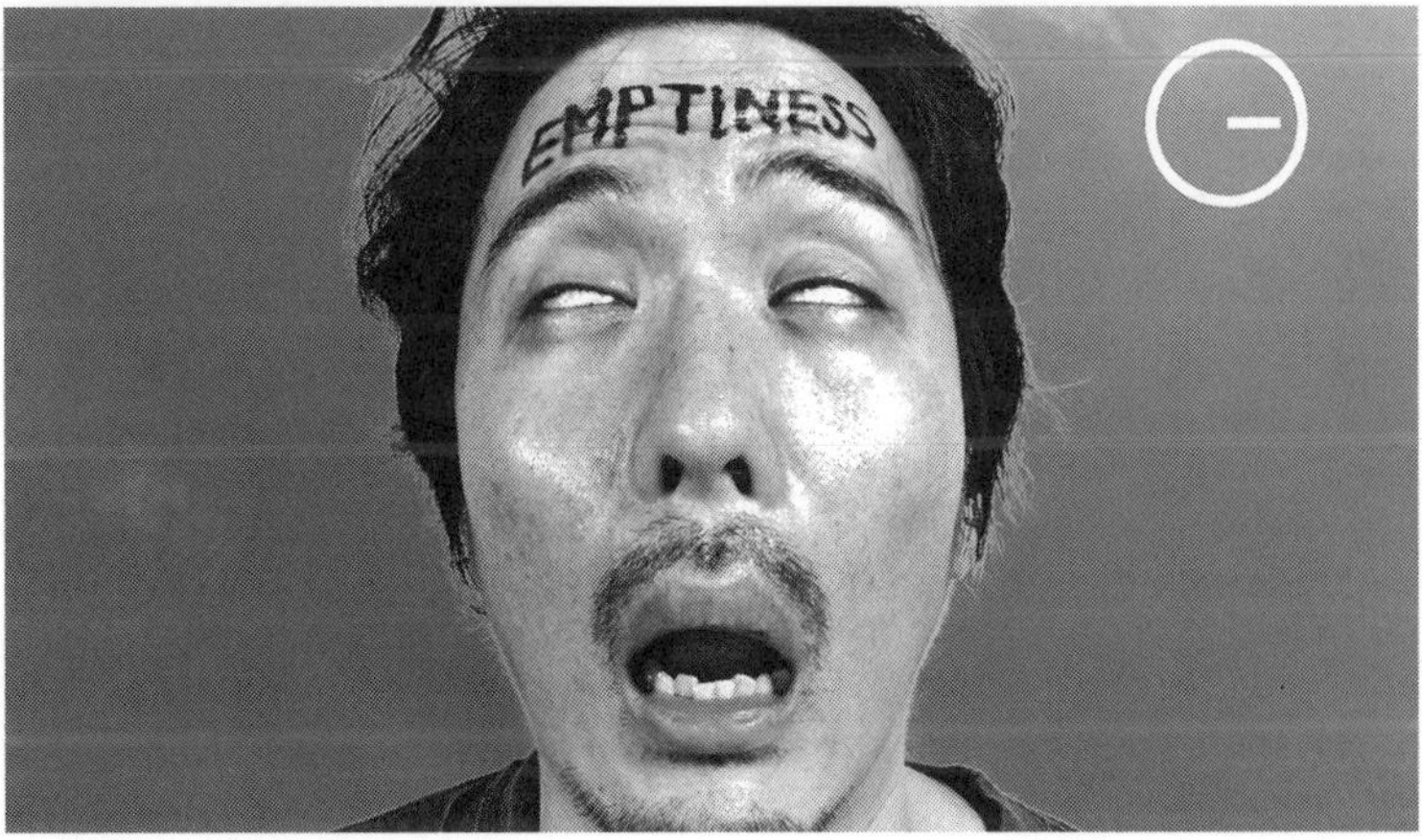

上・《土下座チオ》2008年／ビデオ

下・《24fps, 365″》2015年／ビデオ

「ある意味、人生を空虚に感じないために芸術はある」と松田は言う。

ほとんどすべてがそんなふうだし、土下座で謝罪しているようにもフェラチオしているようにも見えるビデオ、《土下座チオ》（２００８年）なんてその典型だ。ちなみにこの作品は、初めてマスメディアに載った作品だったりする。僕の活動におけるよきターニングポイントになった展覧会でもある、２０１５年の「何も深刻じゃない」では、会場に入って最初に見られる作品が、まさに毎日空虚に生きていることをテーマにした《24fps, 365″》だった。

近年の展覧会である２０２０年の「こんなはずじゃない」でも、「じょうちゅうげみぎひだり、じょうちゅうげみぎひだり……」とビデオ内で唱え続けループする、《呪い》というビデオ作品がある。それぞれの細かい動機やコンセプトは異なっているが、どれも僕の経験をもとにした「空虚観」を伴っている。個人のクソ経験でさえ、そんなふうに「飛べる」のが芸術だ。だからというわけじゃないが、「足踏みの時間」は、そんなに悪い時間ではなかったと僕は思っている。

結局、僕は二十三才で大学に入学した。現役で大学に入学したほとんどの同い年が、もう社会に出ている年齢だ。貧乏アホの子でも、一応遅れて大学には行けた。遅れたけど、「毒蛇は急がない」って言うでしょう？　真の強者は悠然としているって意味だ。しかし、「次はもうちょっとだけ急ごうかな」と締切日の朝の光を浴びながら、僕は今思っている。

フレフレなるままに

東京・高円寺にあったシェアルーム、男だらけの「リトル・アマガサキ」は、僕の大学入学とともに解散になった。僕の大学入学ってのはきっかけみたいなもので、もうそれぞれが別の目的や目標で動いていたし、みんなで遊ぶようなこともほとんどなくなっていたから、僕の大学入学は住人にとってもちょうどいいタイミングだった。今ではそのなかにいた数人に、1年に一度会うか会わないかくらいの付き合いだが、「あいつ、死んだらしいで」とは耳に入ってこないから、全員元気でやっていると思う。

例外は一人だけいて、前にも書いた、美容師志望からちゃんと美容師になったN。Nは、美容師資格を取る前から僕らの髪を実験台にしていて、おかげで当時僕らの髪型は、揃って色も形もヘンテコだった。そして、Nはうっかり「おまえらどうせ一生貧乏人やろから、髪はおれが一生タダで切ったるわ〜」なんて言ってしまったものだから、僕は20年間通い続けている。えらいもので、もはやそいつは店で髪を切る係ではなくて、店を経営する側になっていたりする。店は都心からならちょっとした旅行かってくらい、ずいぶん離れたところにあるんだけど、Nが忘れたころに、僕は嫌がらせのように現れている。「また来たか……、もうかんべんしてくれや」と、美容室経営者は半笑いで毎回そう言うのだけど、ちゃんと切ってくれる。もうヘンテコな髪型にはならない。「リトル・アマガサキ」時代と同じなのは、僕が金を払わないことだけ。

前にも書いたが、金といえば僕の大学生活は、それまでの人生で、最も金に困らない時期だった。僕は大学内にある学生課に入学当初から駆け込み、目についた「助成金」へ片っ端から申し込んだ。僕の家庭や経済状況ってのはそういう審査に対して、いわば「顔パス」みたいな状態で、大学時代に僕は、あらゆる助成を受けることができたのだった。そのおかげで、僕の大学、大学院を合わせた6年間は、ある程度お金に困ることはない特別な時間だった。週1、2回、人並みのバイトをすれば、制作費はもとより家賃などの生活費なんかもまかなえたから、僕の貧困人生の中で「助成」は、神社でも建立して祀ったろかくらいのありがたいものだった。

しかし、大変だったのは、どの助成にも条件としてたいてい課せられていたレポート作成地獄だった。レポート作成のためには、これまた助成で手に入れたPCへ、無限とも思える文字を打ち込み続けなければならない。けれど入学したばかりの僕は、絵が少し上手いだけの、ローマ字すら完璧に覚えていないアホだったので、めちゃくちゃ苦労した。でもまあ、1レポート「ナンボ」、1授業「ナンボ」って、ゼニや金にだけは反応して働く僕の脳内ソロバンが弾き出したところ、やりたくないバイトに明け暮れるよりは超絶マシな時給換算だったので、今考えるとレポート作成は地獄というより天国だったのかもしれない。

結局、僕はそんな貧乏根性丸出しで、卒業するのに必要な数の倍くらい授業単位を取得した。後悔があるとすれば、英語をはじめとした「外国語」の授業を全無視したことで、「めっちゃええ芸術家になったら当然通訳がつくやろうし、いらんやろ」なんて考えていた自分を往復ビンタしたい。

美大には毎日あるような授業や講座に加えて、専攻した科の実技科目がある。僕が通っていた当時の東京藝大油画専攻の一年生は、そういった実技科目の制作場所として、1年間、茨城県にある取手校舎のアトリエを割り当てられていた。二年生以降は、上野校舎のアトリエだった。茨城県なのに「東京」ってのは関東ではよくある話で、千葉の東京ネズミさんランドと同じようなものか。京都で大阪、大阪で京都なんて絶対名乗らない関西とはちょっと事情が違う。

年間のおおまかなスケジュールは、前期と後期の終わりに1回ずつ、つまり年に2回、専攻の科の先生たち全員に作品を見てもらう講評会があった。あとは9月に藝大阪の文化祭である藝祭があるくらい。学生に課せられている必修課題なんかは、他の美大と比べても結構ゆるやかだった。休みが多いから、作品制作などの活動はもちろんのこと、美術館、ギャラリーを見て回る時間もたっぷりあった。けど取手は都心から遠い。一年生時、とりあえず僕は取手に住んだが、日々のスケジューリングが下手クソすぎる僕には向いてなかったと思う。「〇〇の展覧会、今日までだわ！」なんて15時とか16時ごろに思い出しても、取手からだと都内の美術館やギャラリーには、もう間に合わない。僕には取手が向いてなさすぎて、藝大取手校舎の入り口近くの、「理想」とたいそうな文字が彫ってある平山郁夫の石碑を、1年間恨めしく見ていた記憶がある。取手校舎は、次の大地震で耐えられないって噂のオンボロ上野校舎よりだいぶ新しいし、近くに住居もないから騒音なんかを気にせずのびのび制作できる点では「理想」。都会のごみごみした雰囲気よりも、緑溢れる、のどかな感じが好きな人なら「超理想」。しかし当時、常に刺激が欲しすぎる僕にとっては、「クソー」だった。そんな取手から、僕は10か月で逃げ出すことになる。

僕は取手では、2万円台の激安オンボロアパートに住んでいて、そこで毎日作品制作に勤しむ、マジメな学生だった。取手校舎に制作場所はあったが、僕はこのころも今も、家で制作するのが好きだ。しかし、取手の家には厄介なことが一つだけあった。ピンポーン！のチャイムでドアを開ければ、「私たち、教会の者なんですが、聖書に興味ありませんか？」なんて感じで、毎日宗教勧誘の訪問があったのだ。それも毎日違う宗教。多いときは一日3回来た。そのほとんどが、新興宗教だった。「あなたのために祈らせてください」と、ドアを開けたら急に祈られたこともあったし、「一緒にバスケットボールをしませんか？」と、あんた『スラムダンク』の赤木晴子かってオバハンもいた。「なにか、悩みごとはありませんか？」って聞いてくるのは、全員共通していた。そういえば、尼での高校生の一人暮らし中には、一度も宗教勧誘の訪問はなかった。そのころの尼で、僕への勧誘といえば、近所に住むオッチャンやセンパイの元自衛官から、自衛隊にしつこく勧誘されるのと、あとはねずみ講くらい。

ともあれ、今考えれば取手のあの場所は、学生が多く住む場所だからか、藝大生にボンボンが多いせいだからか、なかなかエグい場所だった。だから家賃が激安だったのかもしれない。このころの僕は、宗教にある種の怪しさ、うさん臭さを感じていて、彼らを相手にすることもなかった。オウム真理教の地下鉄サリン事件やパナウェーブ研究所の白装束軍団がテレビで散々報じられたあとだから、その影響があったのかもしれない。けれど、毎日断り続けるのも骨が折れる。たとえ居留守を使っていても、何度もチャイムを鳴らされる。居留守で息を潜め、気配を消しているなか、「おれ、家で何してるんやろ」と、アホらしく感じたのを覚えている。借金を背負ってもないのに、借金取りから逃げるような生活が、めんどくさくて仕方がなかった。

そして、ある日ひらめいた。これ、全部かたっぱしから入信してもうたらええんやないか、と。そしたら、あいつら全員来なくなるやないか、と。一つの宗教にドハマりするから洗脳だなんだとヤバイのであって、全部入ってもうたらヤバイもクソもないやないか、と。むしろ、めっちゃ幸せになるんやないか、と。そもそも、うちは実家を含めて大貧乏人だから、取られるもんなんて何もないやないか、恐れることなんて何もないやないか……。そう思ったのだ。僕はすぐに実行に移した。

「私たち、教会の……」

「入信します」

「あなたのために……」

「入信します」

「一緒にバス……」

「バスケはやらないけど入信します」

相手が何かを言いかけているそばから、食い気味で入信ラッシュをかけていった。ドアの向こうの相手が宗教のそれと気づけば、あらかじめハンコと身分証を持ってドアを開けた。不思議と、何か他に宗教に入っているかどうかは一度も聞かれなかった。宗教勧誘の訪問はほぼなくなり、何かを取られるどころか、新聞や聖書などの書籍やパンフレットを、こまめに送ってくれるようになった。僕はもらうばかりだとなんだか悪い気がするようになり、仏像みたいな像や旗や数珠といった安い宗教グッズはなるべく買い、バスケも1回参加した。最終的には20くらいの宗教に入信した。

そんな入信体験から2015年に制作、発表したのが《幸せになる方法の方法》というプロジェクト作品だ。僕が取手にいたときから数えて12年後。発表のころ、僕は「外道ノススメ」という講座を、美学校という学校で受け持っていて、その講座の受講生も手伝ってくれた。自分の入信している宗教を中心に、「幸せになるにはどうしたらいいですか?」というドのつく直球な質問を宗教関係者にするインタビューの撮影を行ったり、その際色紙にメッセージ付きのサインをもらったり、もともと僕が持っていた宗教グッズをさらに買い集めたりして、展覧会ではそれらを祭壇のように展示した。制作期間中には必要にかられ、僕は入信宗教をさらに増やし、発表時には30くらいの宗教の信者となった。思えば、そんなにたくさんの宗教が身近に存在していることを、僕は取手に住むまで知らなかった。このプロジェクトは今のところ、僕が死ぬまで続行中ということになっている。

僕の藝大生活の話に戻す。僕のミクロな容量しかない脳みそで、記憶に残っている授業を必死に思い出そうとすると、僕がミーハーなせいか、やはり名のあるセンセーの授業が思い出される。

まずは……、ヴェネチア・ビエンナーレという芸術のオリンピックみたいなイベントに、でっかいマクドナルドの看板を出品したことで知られる中村政人さん。中村さんの授業は、「サスティナブル・アイデンティティ」なんていう中村さんらしいカタカナのタイトルがついた授業だった。内容は、自分史を作り、それを元に制作するというもの。今現在僕の作品には、僕の「尼崎体験」がほとんどすべてに通底していると言えるから、血肉

《幸せになる方法の方法》2015年〜 on going／ビデオ、宗教グッズ、色紙など
一つを選んで分断を招くくらいなら、優柔不断にすべてを選び、一人で叩かれることを望む松田らしいプロジェクト。
共同制作＝外道ノススメ

になった授業だと思う。「きみ、童貞を捨てたの早くない？」って中村さんが、困り眉毛に微笑という、笑っているのか困っているのかよくわからない「中村スマイル顔」で言っていたのを覚えている。

あらかじめ憧れていた芸術家の授業としては、山川冬樹さんの授業がある。山川さんは一人で二つの声を出すホーミーを駆使して歌ったり、骨伝導で音を作ったり、「パ」を言わない生活をしたりと、数行文字で書くだけでは絶対伝わらないスーパーな芸術家だ。そんな山川さんは、僕の在学時に「映像表現演習」という、ビデオ制作の基礎を教える授業をやっていた。山川さんがたまにホーミーを実演してくれたりと、贅沢な授業だった。僕は今現在ビデオを中心に制作しているから、この授業がその後も役に立ったことは、言うまでもない。僕が自分の処女作であると考えているビデオ作品、《9．11ぶん死ぬマリオ》（2003年）は、この授業がなければ生まれなかった。そして僕お得意の余談をさらに加えると、そんなセンセー山川さんと、イベント「にんげんレストラン」（2018年）で同じ出演者となり、山川さんがやった「逆さ吊り」のパフォーマンスを手伝えたのは、個人的にめちゃうれしかった。

そして、有名芸術家の授業でもないのに、僕の記憶の中で異彩を放ち、深く印象に残っている授業が、古美術研究旅行だ。通称「古美研」。何日間だったとかは当然のように忘れたが、京都、奈良に行き、仏像だ〜襖絵だ〜、俵屋宗達だ〜長谷川等伯だ〜、揚げ句の果てには養源院の血天井だ〜なんて、「朝もはよから」日が落ちるか落ちないかくらいまで国宝や重要文化財を見まくり、夕方には頭がおかしくなる授業だ。僕は古美研では毎日、その日のツアー終わりに公園で缶ビールを一人あおっていたが、歩いている人どころか奈良の鹿にまで欲情し、「ああ〜あぅあ〜……」と声にならない言葉を発する完全にアブナイ人になっていた。完全にラリっていた。人は、「ありがたいもの」をギュウギュウ詰め込みで見続けると、そうなるみたいだ。しかし僕にとっては、あれが6年間でぶっちぎりの、「芸術の授業」だった。東京ではなく、尼からすぐに行ける場所であったのも、僕にとってはポイントが高い。

そんな僕の大学生活が順風満帆、悩みなしストレスなしだったかっていうと、そうでもない。基本的には在学中、僕は焦っていた。イライラもしていて、絡みグセのあるめんどくさい学生だった。とにかく「助成金で金のあるうちになんとかせねば！」って当時は考えていた。それまで本当に金がなさすぎたからか、今思えば宝くじが当たって身を滅ぼす人のような精神状態だったのだと思う。

僕を焦らせる理由は他にもあった。二十三で入学という年齢もそのひとつだし、藝大にはもう世間で名を知られる芸術家になっている学生がたくさん在学していて、僕は単純に、悔しかったのだ。たとえば僕が学部の二年生のころには大学院に、ビデオ作品で知られていた田中功起さんがいて、そういう人の大きな展覧会情報がわんさか入ってくるのが美術大学なのだ。「おれもやったるで〜!」なんて思うのだが、あのころ進むのは筆じゃなくて酒ばかりだった。そして何より、「ユニーク(唯一無二)」だとか「世界一」だとか、そんなふうに少なくとも自分だけは思えるような作品を早く作りたかったのだけど、きっかけすらつかめないから、焦りは増していく。

入学当初目指していたのは、隣に何千点何万点並んでも「ああ、これは松田修さんの作品ですね」と、一目見てわかるような作風の「画家」だった。例の、ピカソの絵の体験もでかかったのかもしれない。僕は一度見たら忘れられない絵を描きたかった。1年間くらいは、1週間に1枚ペースで絵を描いていただろうか。作品と呼べるようなものはほとんど存在しない黒歴史なころだが、一生懸命思い出してみる。当時の油画専攻の科では、「いい絵」なんて抽象的な言葉が、最上級の褒め言葉だったと記憶している。まあ「いい」を翻訳すると、「センスがある」というような意味に近いだろうか。しかし僕はこのタイプの絵を、早々に諦めた。世界どころか学年内の同級生と比べても、センスがあるようには思えない絵しか描けなかったからだ。

そこでうんうんうんうん考えた僕は、李《リ》禹《ウ》煥《ファン》とか河原温とか、いわゆる「コンセプチュアル」なところから考える絵を目指すことにした。どんな絵かっていうと、たとえば世界の河原温パイセンの代表的な作品で、「デイト・ペインティング」シリーズがある。キャンバスに、描いたその日の日付を描くというものだ。色は背景と文字数字の2種類のみで、「月」はアルファベットで、河原パイセンがそのとき滞在している国の言語で表現されている。世界中で制作され、こんな究極的にシンプルなやり方で、パイセンが「その日に生きていたこと」が証明されるという名作だ。僕はそういったコンセプチュアルな「絵の発明」をしようと思った。まあコンセプチュアルなんてたいそうなことを言わなくても、感覚的に手を動かし続けてセンスを磨くより、言語的な「ネタ」で考えるほうが、僕には向いていると考えたのだ。

で……、恥ずかしくて文を書く手が鈍るのだが、最初に考えたのは「トヨタ・ペインティング」だった。これは、世界中にもうすでに発明された絵画シリーズ、たとえば先ほどの河原パイセンの「デイト・ペインティング」なんかもそうだが、それらの改良版を作るってコンセプトだった。つまり、トヨタ自動車は車を発明したわけではなくて、車を改良した会社であるから、そんな感じで僕は新しく斬新な絵画シリーズを生み出すのではなく、もうすでにある歴史的な絵画シリーズたちをちょっとだけ改良していくっていう、絵画シリーズを考えたのだ。思いついたときは、「なんて日本人的な作品やねん。いけるわ！」なんてほざいていたが、3か月でやめた。できた作品は大目に見てもクソだったと思う。

他にも描く道具を発明してから描く「絶対に人間しか描けない絵」のシリーズがあった。これは、誰かがやりそうだからすぐやめた。「超幽霊画」なんて言って、幽霊として蘇っていちばん怖いのは人間じゃなくて原爆だ！と、原爆の幽霊を描いていた時期もある。あとは、内容は忘れたけど「原始人が描いた」シリーズなんてもんもあったか……。頭が痛くなってきたから思い出すのをやめる。

とまあ絵を描いてはモンモンとしていたなか、茨城県取手市から上野に少し近づいて、千葉県の柏市に引っ越した。で、一年生の終わりごろには「そもそもおれ、なんで画家になりたかったんだっけ……」という疑問が湧いて筆が止まる。流れ流されて画家になろうとしている自分にも気づいていく。そして、そもそも自分が持っている尼の貧困地域によるセンス、美意識が、「美術史」に反映されていないことにも気づく。最後には、「尼にあるような美意識を無視して、『全人類の美術史』ぶってるんとちゃうぞボケぇ！」と、怒りすら湧くようになった。それからの作品制作では、大学で習うような学術的な美術史よりも、自分が考えていることや自分がもともと持っているセンスを、優先することにした。それが、「自分にしかできないこと」につながる気がした。

作品も激変した。考えていることがより直接的に伝わる、撮ったものがそのまま表現につながる、といった感覚からか、ビデオ作品が多くなっていった。今も僕は絵や彫刻といった形式にあまりとらわれずに制作しているが、それはこのころから始まっている。当時は、デジタルビデオカメラがちょうどそれなりに買える値段になったころで、僕は「新しい」制作をやれている気持ちにもなっていた。当時のカメラは10万円しないくらい。

データを保存する、外付けのハードディスクは200ギガバイトで1万円くらい。「テラ」なんて聞いたこともない時代で、このころはこれで十分だった。

そして、前述した山川さんの授業で得たビデオ編集のスキルもフルに使って、初めて作った作品っぽい作品が、《9・11ぶん死ぬマリオ》(2003年)だ。内容は、9・11の同時多発テロで亡くなった人の数だけ、ゲーム上で死んでみるというもの。この作品の中心になっているのは、他人の死を感じられなくなった、または感じようとしなくなったという、僕の心の底にあった「死生観」。他者への不感症とでもいうようなものだ。もっと言えば、他者の生死を感じるどころか、自分の生の実感もない、戸籍くらいは売っちゃってもまあええか～ってな感じの、刹那的な生き方を反映させている。僕はかつて、尼でそう生きていた。

この翌年以降は二年生で校舎も上野になるのだが、大学の「コンピュータールーム」に何度も閉じこもり、そういったビデオ作品を量産していった。《9・11ぶん死ぬマリオ》以外では、《DVぶん殴られる春麗》(2004年)や《新生児死亡ぶんコースアウト》(2004年)、《コロンバイン高校事件ぶん射殺》(2004年)なんて作品もあり、社会で起こっている物ごと、とくに「死」に関する物ごとを、貪欲に取り入れ、作品として昇華させていった。このような作品で、倫理的に嫌な気持ちになる人もいるかもしれないが、僕は僕で自分の闇とも思える心情に向き合い、決して嘘をつかず、真摯に「人間」を表現していた。もしかしたら、気持ちだけは今よりもずっと。

ちなみに、このような作品を作っていたときの、僕の藝大内での評価は最悪に近い。今でこそ日本でも、政治的、社会的な物ごとを作品に取り入れることは、特別めずらしいことでもなくなっているが、当時の学内では少数派だった。「良い絵」派が評価される一方、僕のような作品はダサいと思われていた。でも、僕はまったく気にしていなかった。なんなら、「オジイチャンセンセーにはわからへんやろな〜」とナマイキをかましていたし、「自分にしか作れない世界一ヤバイ作品」と、自分で思えることが当時はいちばん大事だった。若いって素晴らしい。今は、もう少しオジイチャンセンセーの話を聞いといてもよかったと思っている……。そして、これらの作品に、最初に「反応」してくれたのは、外部から特別授業でやってきた会田誠さんやChim↑Pomになるのだが、それはまたあとで詳しく書く。

最後に、在学中に出会えてラッキーだった友達やセンパイの話を書いておこう。今も画家として活動している佐々木健さんがそのひとりだ。通称ササケン。当時も今も、少しエロくて面白いパイセンだ。僕が右も左もどころか真ん中もわからない学部一年生のころ、ササケンは大学の助手として勤務していて、僕にいろいろ教えてくれた。当時からどこか品のある人で、坊主頭にしていてもオシャレな人だ。坊主にするとたいていい「イカつく」なる尼人とは少し毛色が違う。そして、あれから20年経って思うのだけど、美術界広しと

上・《9.11ぶん死ぬマリオ》2003年／ビデオ
写真＝井手康郎

下・《DVぶん殴られる春麗》2004年／ビデオ
写真＝竹久直樹

いえどもササケンほど見識がある人は、なかなかいない。ササケンはめちゃくちゃ読書家で、学生のときに読むべきとされる美術書は、僕は全部ササケンから教わった。ネグリとハートの『〈帝国〉』やらフォスターの『反美学』やら、岩波の「世界の美術」シリーズも、ササケンから教わった。読み終わるたびに大学にいるササケンのところへ行き、「ササケン、岩波の『コンセプチュアル・アート』、ようやく読破したわ～！ 難しかったから、次は簡単なやつを教えてくれ！」「え～？ あれは読みやすいでしょ」「あれが読みやすいなら、地球上からアホがいなくなるわ！」なんていうやりとりをしていた。ササケンは毎回めんどくさそうにしながらも、必ず次の本を教えてくれた。出会えたのは、マジでラッキーだった。さらにササケンは当時僕の作品を見て、「おまえは（理知的な芸術家である）岡﨑乾二郎になるか、ヤクザになるか、どっちかを選んだほうがいい」という迷アドバイスをくれたのだが、そのときの僕にはよくわからなかった。今は会うたびに、「おまえはヤクザを選んだんだな」と言われるから、きっとそうなんだろう。

他にもいろいろな道具や素材のあつかい方を教えてくれた一コ下の学年の栗原良彰くんとか、ラッキーな出会いはたくさんあったのだが、藝大ならではというか、尼では絶対に交わらなかったであろう人として、大庭大介くんを挙げておこう。今は京都を拠点とする画家で、大学でセンセーもやっているんだっけか。大庭くんは、年齢は僕より下だが当時の学年は何個か上で、在学中から展覧会を多く開く、平たくいえば「売れっ子画家」だった。ササケンが、美術書なんかの基礎知識を教えてくれた人なら、大庭くんは活動の基礎知識を僕に教えてくれた人でもある。と、そんなことよりも、大庭くんは地方議員かなんかの政治家の息子で、立ち姿からも育ちのよさが窺《うかが》える人物だった。育ちのよさは「よすぎる」ほどで、ちょっとみんなから浮いていたようにも思える。僕とはお互い浮いた者同士で波長が合ったのかもしれない。大庭くんは髪はサラサラ、清潔感のある服装になんかキラキラした感じの出で立ちで、そのころ、金髪、ジャージに年中便所サンダルを履いた「純尼崎ファッション」の僕とでは、まさに王子と乞食のようだったと思う。「僕は自分の絵を１００万ドルにするんだ！」とは当時の大庭くんの口癖だが、言っていることもキラッキラだった。

こういうふうに資産家の息子と無職家の息子、他にも東大に入るような高偏差値の高校に通っていたやつと、九九やローマ字がわからないやつが、芸術を通して仲良くなったり友達になったりすることが、ある意味、美術大学、そして芸術の醍醐味なんだと僕は思う。

どカス関東来襲

小さいころは、東京をとても遠くに感じていた。東京で家族に会う未来なんて、想像できなかった。しかし僕が上京した数年後、僕のあとを追うように、うちの次男坊が上京してきた。思えば尼ではそっけない兄弟関係だったが、このときはなんだかうれしかったことを覚えている。そしてさらに数年後、僕が大学生のころ、おとんも上京してくることになった。おとんはそのころ、おかんとはとっくの昔に離婚している状態だった。今でも二人は仲がいいから、円満離婚ってやつになる。

おとんの上京は、このときおとんのパートナーだったEちゃんと一緒だった。このEちゃんは、ほんまもんの「どカス」であるおとんを、「オモロいから」との理由だけで、慈善事業のように飼ってくれた徳の高い人だ。そんな聖人のお力添えがあったとはいえ、親子三人が関東に集まるなんて、僕には奇跡のように思えた。おとんが上京したばかりのころ、このEちゃんを加えた四人で食事をしたことがある。場所は僕の大学が近い、上野の居酒屋だった。久しぶりに見たおとんは、ヨレヨレのトレーナーにジャージのズボン姿だった。僕は笑ってしまうだけでなく、尼から変わらぬそのお姿に、思わず拝みたくなった。このときの会話の内容はほとんど覚えていないが、「東京に飽きたら尼へ帰るわ」という、十九才の僕が言っていたことをそのままおとんが言っていて、爆笑したことが記憶にある。そして、おとんは当然のように勘定を払わなかったことも覚えている。

おとんは上京してからも、カスとして1ミリもぶれなかった。相変わらず住所不定無職が服を着て歩いているスタイルを貫いていた。それがよくわかったのは、名目上はEちゃんとおとんの住居となっている家に、僕が大学院を出て転がり込んだからだ。「助成金バブル」が終わって金と居住地に困っていた僕を、Eちゃんがしばらく住まわせてくれることになったのだ。しかし、横浜にあったその家に住んでみると、おとんの影はほとんどなく、実際は僕とEちゃんの二人暮らしも同然だった。

そして、大学院を出た年と同じ2009年、僕は初個展を開いた。会場は、この本に何度も登場している無人島プロダクション。今は二度の引越の末、墨田区の江東橋に黒く巨大な要塞として存在しているが、このころは高円寺駅から歩いてすぐのところ、居酒屋だらけの細い通りに面した、雑居ビルの三階にあった。広さは2坪くらい。もともと大手のギャラリーに勤めていたオーナーの藤城さんが独立して、3年目だった。

僕はどうしてもその藤城さんと仕事がしたかったので、学生のころから個展を行うためのプレゼンをしに無人島へ足しげく通った。最後は根負けもあったのか、「やろうか。松田くん」と藤城さんが言ってくれた。僕はうれしかったが、藤城さんにとっては、「怒りたくもないのに怒るしかない」始まりでもあった。あとで、新卒同然だった僕を無人島へ入れたことを少し後悔したとも藤城さんは言っていたから、手がかかる芸術家だったのは間違いない。

そんな初個展の内容はというと、当時日本では、まだまだ芸術の販売作品としてはめずらしい、ビデオが中心の展覧会だった。ビデオをプロジェクターで大画面照射するなんて、予算的にも機材的にも不可能な時代で、4対3（今は16対9）の比率画面の、13インチくらいの薄型テレビを何台か壁に設置する予定だった。たしか、そんな小さなシャープ製の液晶テレビでさえ、一台5万円くらいした。タイトルは、「オオカミ　少年　ビデオ」。その心は……、ざっくり言うと、尼で得た顔を背けられるような「下品！」な美意識を「芸術」へ持ち込もうとする、無謀だが画期的な展覧会だったと書いておこう。しかし当時は来てくれた人に、上手く説明どころかマトモな「おしゃべり」さえも、僕はまったくできなかったことも忘れずに付け加えておく。

まあ、芸術家にとって初個展というのは一度しかないから特別なものだ。来てくれる人のほとんどが自分のことを知らないし、気合いも過剰に入る。何もわかってない分、空回りなんかも当然するが、僕は今よりきっとギラギラしていて、ドキドキワクワク、そしてピリピリもしていた。そんな特別である初個展の準備中、「どカス」先生は「カスがなんたるか」をわざわざ僕に教えてくれた。

「その日」は、世間を騒がしたら日本一のChim↑Pomのリーダー、現在はリーダーを辞めて平メンバーの、卯城くんに展示の準備を手伝ってもらっていた。毎回思うが、展示準備というのは大変なもので、主な作業だけでも、壁を塗ったり、展示台を作ったり、作品を固定したり、いろいろだ。だから友達同士でお互い手伝い合ったりする。そんな「お手伝い」に来てくれた卯城くんと、僕は朝から作業を「あ〜でもない、こ〜でもない」と進めていき、昼ごろだったか、いったん休憩しようという話になった。外にあった非常階段のところで、僕はタバコをぷかぷかやっていた。隣では「有難《ありがた》き」卯城くんが、作業再開後のアドバイスなんかをくれていたと思う。

ふいに、僕のポケット内で携帯電話が鳴る。僕はそれを取り出し、画面の文字を確認する。そこにはめちゃくちゃ「有難《ありがた》くない」ことこの上なしの、「おとん」の文字が浮かんでいた。僕は思わず本当に頭を抱えたし、「あ〜」という残念な声入りのため息が出た。僕はその文字を見た瞬間、すべてを察したのだ。

僕は貧乏なりに、この個展用にお金を貯めていた。主に液晶テレビなどの機材を買うためだ。そのお金の入った封筒を、早朝、家から無人島へ向かうときにどこに置いて出たか……、「起きたあとに畳んだ布団の上！」だ。僕は連日の作業と初個展の緊張とで、だいぶ疲れていた。ふだんは「いない」、どのつくカスのことを忘れていた。やってしまっていた。あのおとんが、どカスの親玉が、そんなお金を見つけてスルーすることはありえなかった。光る携帯電話に映る「おとん」の文字を見て、僕にはそれがもう彼の懐にあることが、一瞬でわかったのだ。

「あ～あかん、やってもうたわ……」

「ど、どうしたの？」

鳴り続ける携帯電話に出ることもなく、どこか不穏な様子の僕を見て、「有難《ありがた》き」卯城くんは心配そうに言った。僕はとりあえず「有難《ありがた》くない」電話に出ることにした。

「おとん！　それだけは勘弁してくれ！　頼むわ！」

懇願してみる。

「………ル～パ～ン四世ぇ～」

電話口から、「おまえぜんぜん似せる気ないやんけ」の、ヘタクソな故・山田康雄のモノマネが聞こえてきた。

「くっ、人生かかっとんねん！　ほんまに、ほんまに頼むからやめて～！」

「ル～パ～ン四世ぇ～」

「テレビ買わなあかんねん！　それだけは、それだけは～！」

「ル～パ～ン四世ぇ～」

話がまったく通じない。僕は経験から、おとんが「これ」でいくことに決めたのがわかった。

「なんじゃ〜ボケェ〜！　ほならおまえのおかんはフジコちゃんか！　そんなツラちゃうやんけ！」

「……ル〜パ〜ン四世ぇ〜」

ブッ……、電話が切れる。僕はしばらく呆然自失の見本をさらしたあと、隣にいた卯城くんに事情を説明した。次に無人島の藤城さん、その場にいたスタッフの野田さんにも説明した。全員が大爆笑した。結局、怪盗でもなんでもないただの窃盗ルパン四世のせいで、予算が足りなくなりテレビが一台買えなかった。そして予定していたビデオ作品が一つ、展示から消えた。けれどブレないおとんを責める気は、今もない。恨んでもいない。すべては、「スラムルール」を忘れ、油断していた僕が悪かったのだ。

東京での、僕が忘れられないおとんのカス伝説がもう一つある。2012年とか、そのくらいのときか。そのときは、わりとおとんの血を色濃く継いでいる、うちの三男坊が東京に遊びに来ていた。その、「ど」がつかない程度のカスな弟が、泡を吹いて倒れたのだった。本当に、蟹が吹くような粒の細かい泡を吹いて、本当に、少女漫画の『ガラスの仮面』で見るような白目をむいて、倒れた。普通なら、救急車を呼ぶものだと思うのだけど、まあ、その、ごにょごにょと理由があって、とりあえず僕はどう対処すればいいいか、友達に電話しまくった。で、結局病院へ運ぶしかないという結論になり、どうしようかな、一人で担いで運んで、どこかでタクシーつかまえるか……、いや、Eちゃんを待つか……などと横浜の家であたふた考えていたら、「ダライラマ～、じゃなくてタダイマ～」。ムカつく挨拶とともに、河童よりは姿見せるかのおとんが帰ってきた。しかも、友達に借りた車で来たのだと言う。

「ナイスや！　おとん！」

僕が頭のほうを持ち、おとんが足のほうを持って、すぐさま弟を運び出す。たぶんこれが、親子初めての共同作業だ。もう二度とないと思う。二人とも体力がないから、数メートルおきに休憩しつつ、ようやく車が止めてある駐車場に到着した。家のあるアパートから駐車場までは、特に障害物もない、歩いて5分もかからない一本道だが、僕もおとんもハアハアハアハアハアハア息切れがえげつなかった。おとんの友達の車は黒のミニバンで、後部座席にギリギリ弟が乗れそうだという感じだった。

「よいしょー」と頭を抱えた僕が中に入り、ゆっくり弟を乗せた。ふと、生きているどうか心配になり確認したが、息はあった。その刹那、「もうぅ！　こんなん嫌やぁ～！」って駄々っ爺の声が外から聞こえ、僕は急いで車から出た………。この本の読者は、六十過ぎのオッチャン、いやオジイサンの死に物狂いの全力ダッシュを見たことがあるだろうか。僕もこのとき初めて見たし、もう生で見ることはないと思う。その逃げていく後ろ姿が、情けなくて情けなくて、笑えて、なんだかかわいいとすら思った。ウサイン・ボルトの

100メートル走よりも、見物だったかもしれない。僕は肩からがくっと力が抜けて、ははって自然に声が出た。

「どんだけ嫌やねん……」

幸いにして、このあとは僕が車を運転し、無事病院につき、弟は今もピンピンしている。それもあって、僕は無限思い出し笑いを、あのおとんの後ろ姿でできるようになった。

かわいいなどと書いたついでに触れておくが、尼崎市には割と有名な、よそとは一線を画す非公認ゆるキャラがいる。通称「ちっちゃいおっさん」で、名を「酒田しんいち」という。設定では、ギャンブル好きな酒好きで、おまけに無職らしい。古今東西、こんなゆるキャラがいるのは尼だけだろう。まんまるで赤ら顔、ハゲ頭、歯抜け、白のランニングに下はカーキのジャージ。そして腹巻、雪駄……、わかる、とてもよくわかってしまう。いかんせん昭和の古さは感じるが、僕から見ても完璧だ。「尼の象徴」としてよくできている。なかでもジャージを履かせていることがポイント高い。「わかる」のは阪神沿線に住む尼人だけかもしれないが。じつは、僕もかつてはジャージをこよなく愛す人間だった。

中島哲也監督による映画『下妻物語』の中で、「尼崎の人は、生まれてすぐジャージを着せられ、ジャージを着たまま死んでいく」なんていうセリフがあって、フィクションや誇張だとわかっていても恥ずかしくなり、これを見て以来、僕はジャージを着れない体になってしまった。もちろんそんな尼人なんて見たことも聞いたこともないのだが、僕の尼の知り合いや友達で、中学校の指定のジャージを30年、いまだに着続けるやつを知っているから、言いたいことはわかってしまう。ジャージは、びっくりするくらい長持ちするし、デザインも、半世紀は大きく変わりがない。汚れも目立たない。それに加えて価格も激安ときたら、貧乏人、めんどくさがり、ケチ……な人が多い気もする尼人に愛されるのはしょうがない。

そして、尼人であり、永世どカス人こと我がおとんは、ジャージだけでなく腹巻も愛している。もはやオマエが象徴やんけってくらい、「ちっちゃいおっさん」とシンクロしている。違いは、おとんはハゲていないってことくらいだ。まあでも、「腹巻」といえば、うちの家族の間では「ちっちゃいおっさん」よりもおとんなのだ。おとんは胃腸が弱い。外出するときなどは、ダサいと思っているのか見えないように上着の中に隠しているが、風呂に入るとき以外は腹巻を決して外さない。いや、外せないらしい。もう腹巻が、おとんと完全に一体化していて、外すだけでお腹を壊し、下痢をしてしまうらしい。春夏秋冬、あんときもこんときも、おとんは常に腹巻と一緒だ。クソ笑える……なんて、他人ごとで済めばいいのだが、僕もその胃腸ヨワヨワ体質をしっかり受け継いでいて、まったく、クソ笑えない。僕は牛乳が大好きなのだが、冷たい牛乳を飲むと一発で下痢をする。牛乳に永遠の片思いをしている。だけどアホだからときどき魔が差すというか、今回は大丈夫なんちゃうかな～なんて思い、ついつい冷たい牛乳を一気飲みしてしまう。グビグビッと。そして、2時間後には必ずトイレにいて、毎回後悔しているのだ。

そんな調子だったから、まだ尼にいた小学生のころのある日、僕も腹巻が欲しくなった。そこで、腹巻ニアイコールどころかもはや腹巻人間であるおとんに、相談したことがある。

「おとん、おれ腹巻が欲しいねん。ええやつ教えてくれへんか？」

「あかんぞ」

即答された。

「なんでなん？」

「あかん」

「どしたん？」

「………体から、ほんまに取れへんようになるぞ」

おとんの腹巻一体化のことは知っていたが、おとんはあらためて僕に忠告した。腹巻人間によると腹巻は、ゲームなどに登場する呪いの防具のようなもので、一度体になじんでしまうと、二度と取れない体になってしまうのだという。そして、我が一族は、十代も前からその呪いにかかり続けている……のだという。僕は、「嘘つけ〜！　十代も前のころには、まだ腹巻なんて存在してへんやんけ」と笑ってつっこんだのだがおとんは意に介さず。そしておとんは、僕が見たなかでも顔レア度ＳＳＳの真剣そうな顔で、「頼む。おまえの代でその呪いを止めてくれや。もう、腹巻で苦しむ人たちを見とうないんや」なんて言い出し、僕は「どないやねん」と一笑したが、腹巻をするのは諦めた。腹巻で改善するかどうかもわからないが、今も胃腸は弱いままだ。海外に出ればほぼ100パーセントの確率で、お腹を壊し続けている。ちなみに、僕はおかんからも「片頭痛」という大変貴重なプレゼントを頂いていて、バファリンと正露丸を常に家に常備している。二人が死んだら、「胃腸ヨワヨワ」と「片頭痛」にも感傷に浸る日が来るのだろうか。

そんなこんなで、おとんとの「腹巻の誓い」から約30年後、僕はその誓いを破ることとなる。ついでに、誓いを破る機会となったイベント、「にんげんレストラン」についても書いておく。それは2018年のことで、場所は新宿・歌舞伎町にあった、解体が決まっている廃ビルで、ビル全部、全階を使って行われた。この項にも出てきた卯城くんがメンバーの芸術家集団、Chim↑Pomが主催。内容は、肉体的なパフォーマンスを行う表現者ばかりを集め、多くのパフォーマンスが常に同時進行で行われていくという、「誰も全容を把握できない」実験的なイベントだった。一階では、実在した死刑囚が最後に食べた食事を注文して食べることができる、まさに「にんげんレストラン」だった。主催のChim↑Pomから僕へは、「エクストリームな個を見せて」とだけ要望があった。僕は会期中、ここで二つのパフォーマンスを行った。

一つは、《666秒の淫言》というパフォーマンスで、悪魔の数字をもとにした秒数の間、思いつく「いやらしい言葉」を吐き続けるというものだ。これはイベント会期中2回やって、1回目は一人で、2回目は観客を巻き込んで行った。尼の売春窟根性全開。僕はあえて「ちんぽ」と「まんこ」って、シンプルで頭の悪そうな言葉だけで臨んだのだが、あとでセンパイ芸術家の会田誠さんに聞いたところによると、某有名美術館の某有名学芸員が、「知性が感じられず、下品すぎる」と嘲笑交じりの嫌悪を示していたらしい。ある意味期待していたとおりの反応で、売春窟文化としての「下ネタ」が、芸術の歴史では「ノーインテリジェンス」、「下品」と蔑まれている証拠みたいなものだ。まあ、何も知らないボンボンからはきっと世界中こんな反応だろうから、僕は逆に燃えるだけだ。

もう一つは《人間の証明①》というタイトルで、会場に鎖でつながれ、10日間「物乞い」だけで過ごすというものだ。一応「①」とあるが、続編をやる気は今のところない。「始まり」という意味で①を加えた。裸の状態から、会場で拾ったビニール袋を「履いて」スタート。携帯電話などの機器は一切持ち込まず、小便大便は、鎖につながれたまま会場の、ドアが閉まらないフルオープン仕様のトイレの中でやった。狙いとしては、労働してお金をもらうといった「現在の社会の理」から外れた空間や、世界最弱の王みたいなイメージがあって、それを具現化した感じだ。まあ最悪、死なんだろうと思ってやったんだけど、おとんの「どカスDNA」を受け継いでいるからか、僕は自分が思っている以上に「物乞い力」が高かった。高すぎて、結果5キロ太った。もう何日かやり続けていたら、僕はもう「下界」に降りられなかったかもしれない。

最初の数日だけきつかった。10月下旬とはいえコンクリート造りは寒い。そして、僕のミスというか、鎖を南京錠でつないだ首輪が金属製で、冷たすぎたのだ。見た感じではまったく伝わらないが、その金属にエグいぐらい体温が奪われた。だから、会う人会う人に防寒着をねだりまくった。たしか、最初の防寒着であるTシャツをくれたのは、パフォーマンス界ではそれこそ大がつくセンパイの、飴屋法水さんだった。飴屋さんに何かくれとねだったら、着ていたTシャツをその場で脱いで、そのままくれた。今でも僕は日常で、この「飴屋シャツ」を大事に着ている。その後もいろいろな人にビールビールビール防寒着タバコタバコタバコビールとねだり続け、美術予備校時代から友達である「天才っぽい」板垣くんが、ついに「アレ」を持って現れたのだった。

「あったかいの持ってきたよ〜」

「ありがとう!」

板垣くんは、パンパンに膨らんだドン・キホーテの袋ごと、施しをくれた。板垣くんのような、半分どころか全部が優しさでできている人に、僕はいつも支えられている。板垣袋を、荒々しい乞食ムーブで漁ると、暖かそうな毛糸の靴下などに交じって、「腹巻」が入っていた。このとき僕は本当に、0・001秒間だけおとんの顔や誓いが浮かんだが、僕はソッコーそれを装着した。寒いし、迷いなどなかった。それからの僕は、まさに無敵と言っていい。ビールやタバコだけでなく、ジャンパー、毛布、腕時計、マンガ、ガスコンロ、ありとあらゆるものを手に入れていった。同時に、ぶくぶく太っていった。初日には少しはあったであろう悲壮感は、ゼロに近くなっていった。二階にあった僕のスペースは、超快適になっていった。最初、一階を中心的な住処として、「家出」というパフォーマンスを行っていたChim↑Pomメンバーのエリちゃんに、寝床を乗っ取られるくらいには。

会期中は、内では表現者同士が刺激し合い、外ではすぐ近くのビルから飛び降り自殺者が続出するという悲しきハプニングが起こり、そのこともまた、表現者たちを刺激していった。僕個人でいえば、僕は「つながれていたため」外の情報が入りにくい状態だったが、二階のでかい窓から偶然目撃してしまった飛び降り自殺者の情景は、一生忘れられないものとして僕の脳裏に焼きついている。そんなこともあったからか、僕はより生命力というか「物乞い力」を、パフォーマンス終了まで超絶上げていくのだった。生命の危機などどうになくなり、勝手に主催者非公認グッズを量産し、余った本や食べ物などとともに売りに出し、賭博やクソテキトー占いなんかも始めて、5万円近く稼いだ。それを最後、鎖を外して舞台上からみんなへ、「下へ」投げた。そこにいた、ほとんどの人が床に落ちたお金を漁った。物乞いと寄付者が、逆転した瞬間だった。

また、僕にとってのハプニングといえば、このとき疎遠になっていた元彼女が、SNS

で拡散された、僕の「裸にビニール袋パンツ姿」を見て心配し、毛布を抱えて現れたことだ。で、すぐに「結婚しよう」となった。物乞いで妻もゲットしたわけだ。それがこの本にも何度か出てくる、今現在も仲はいいけど永遠の別居状態の、妻だ。彼女の両親の挨拶には、このとき他の人に貰ったスーツと革靴で行った。名前も知らない人だったが、このスーツは「飴屋シャツ」と同じく、今もあらゆる冠婚葬祭で重宝している。ありがとう、このスーツの人。

そして「腹巻」は、数日間だけの装着だったせいか一体化するほどではなく、僕が呪われることはなかった。外すときにまた0・001秒間だけ、おとんの顔が浮かんだ。2022年の今、おとんの活動拠点は尼に戻っている「みたい」で、もうほとんど関東にはいない「みたい」だ。相変わらず「住所不定、無職」だから、本当のことは僕にもわからない。しかし、僕は家にある大金は必ず隠すようにし、常に、毎日、ルパン四世こと「どカス」の関東来襲に備えている。

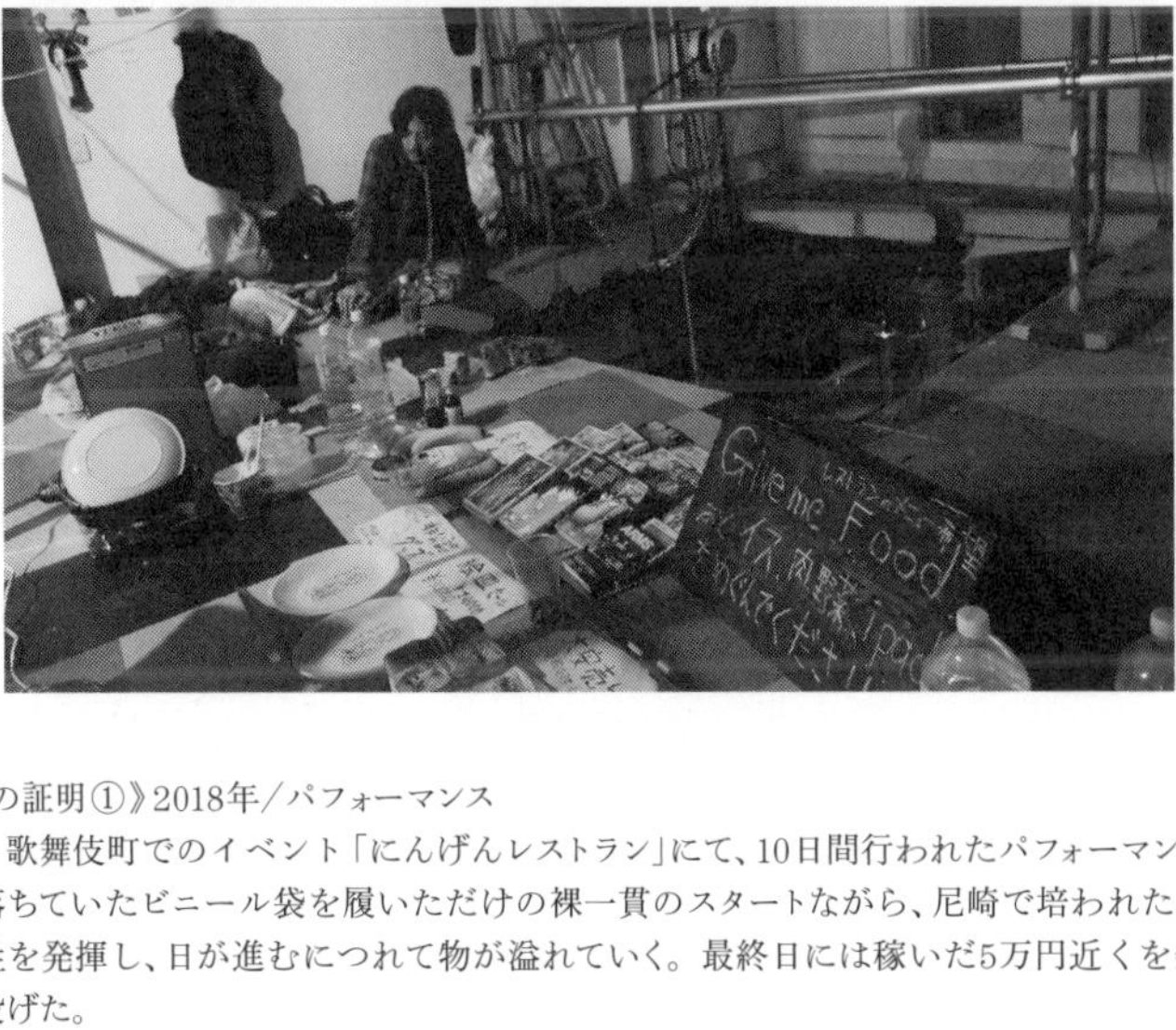

《人間の証明①》2018年／パフォーマンス
新宿・歌舞伎町でのイベント「にんげんレストラン」にて、10日間行われたパフォーマンス。会場に落ちていたビニール袋を履いただけの裸一貫のスタートながら、尼崎で培われた（?）乞食根性を発揮し、日が進むにつれて物が溢れていく。最終日には稼いだ5万円近くを会場に放り投げた。
写真＝関優花

暗い話

僕の話は、他の多くの「尼人」と同じく、無理矢理でも明るく笑える、オチ付きの話が多い。まあクセみたいなものだ。その場の空気が少しでも暗かったりすると、ふざけたくなるし、ヘラヘラしてしまう。たいていの場合、暗い空気が読めないのではなくて、空気を読んだ上で抗いたくなる。「陰鬱」に呑まれすぎないために。いわゆる「下ネタ」が多いのだって、風俗街近くに生まれ育った僕からしたら普通の、ごく「一般的な」ことで、それが笑えなければ生きていくのが難しかった。だから、たいていのしんどいことは笑いに変換して、自分の人生を肯定できた。

けれど、どうやっても「明るい方向」へ消化できず、僕の中で「暗い話」として存在し続けている話もある。たとえば、作品《奴隷の椅子》の中では、近所の住民にボコられたおばあの話と写真が出てくる。写真はボコられたおばあを、「おばあ、ボコられた記念じゃ！　ハイチーズ！」ってな感じで中学生の僕がシャッターを切ったものだ。ボコられた顔は腫れあがり、目を背けたくなるほど痛々しいが、うちに金がないからか、おばあは入院していない。そのときの僕は、そんな理不尽な現実に対してせめて明るくあろうと、おばあにも明るくなってもらおうと、わざとふざけた態度でいた。おばあと家で目が合うたびに、「アレ？　おばあ、いつもより美人になったんとちゃうか？」なんて僕は言い、「いたた……、やかましいわ！」とおばあは痛がりながらも「お約束」でつっこむ。そして、おばあはいじられるだけではなく、いじり返してもくる。

おばあはおかんと同じく水商売を生業としてきた人で、商売上役に立つのか、「トランプ占い」を得意としていた。当たったり誰かの役に立ったりした記憶はまったくないが、ボケ始めたあとも、暇さえあれば頼んでもないのにまわりの人を勝手に占っていた。この時も家でトランプをいじりながら、「おさむ、あんたあたしのこと『フランケンシュタインに同情される』やら『お岩さんに二代目を継ぐよう言われた』やら……、みんなにめちゃくちゃ言ってるらしいやないの！　そんなんエラソーに言うてるから、占いでエライ目が出たで！　3日後に…………、ああ、これ以上はよう言わんわ！」。

僕の思い込みかもしれないが、おばあはもうニヤニヤしていた気がする。

「なんやねん。気になるやんけ。3日後、何が起きるねん！」

「口内炎が五つできるで」

ナンヤソレと二人でゲラゲラ笑う。それで僕らは、大丈夫大丈夫、なんともないってやってきたのだ。おばあをボコったやつは捕まるどころか、当時も今も「ご健在」だ。話の通じない、クソみたいなクズが世の中にはいて、まわりは泣き寝入りし続けている。「おばあちゃん、ボケたからって『あいつ』に絡んだらあかんわ」

「運が悪かったたな」

大人はみんなそう言っていた。通報するなど何かを起こして、逆恨みされるほうが事態を悪化させると知っているからだ。相手は反省や罪悪感などと無縁の、クズの権化だ。パクられてもいずれ戻ってくるんじゃ意味がない。何度もボコられたり嫌がらせされるのはごめんだ。こんなクズを、僕は尼でたくさん知っている。尼崎は、「核兵器」を持っているやつが理不尽に振る舞える、世界の縮図だって言ったら大げさだろうか。今でも僕は、おばあをボコった「あいつ」を許せないが、どこかそんなことを「普通に」受け入れてしまう自分にも辟易する。やっぱり暗い話だ。

そして、僕自身の話になると、尼でボコられたりパクられたりなんて話は、「平気な話」になってしまっている。大したことに思うには回数が多すぎて、ほとんど忘れてしまった。尼のときよりも、なんなら東京に出てすぐのころ、深夜に渋谷の路上で、旧宮下公園のすぐ近くで、「金を出せ！」って金髪ロン毛、その時代でいうところの「チーマー」風のニイチャンに、バタフライナイフを突きつけられたことのほうが印象に残っている。バタフライナイフなんて現実で初めて見たし、「東京こっわ！」と思ったものだ。二、三発殴られて帰りの電車賃以外の有り金をパクられたあと、「武器はなあ、『乾電池』が最強やねん。握ってよし、投げてよしや」って聡《さと》い顔して言っていた中学のセンパイを、僕はボーッと思い出していた。前略センパイ様、東京は恐いところです。乾電池ではきっと、身を守れません。

まあでも、僕には肉体的な痛みも、生まれながらの構造的な貧困も、あまり「効かない」。だからなのか、神様はバランスとって、ちゃんと「効く」ことを用意してくる。そんなことしなくていいのに。

神様は残酷だ。本当に書こうかどうかも迷うくらい、僕が思い出したくない話が、「Eちゃん」の話だ。うちのおかんとおとんは両方とも3回ずつパートナーを得ているが、おとんの3回目の相手が、「Eちゃん」だった。僕には義母に当たる。そんなだからうちの「家族」は現在、よく切ったトランプくらいには苗字がぐちゃぐちゃだ。そして、おかんとEちゃんは親友のような、そして戦友のような関係だった。おとんがEちゃんへどんな感情を持っているかという話は、今も昔も僕はおとんとしたことはない。これからもしないと思う。結論から言うと、Eちゃんは自ら死を選び、僕の死生観は大きく変わってしまった。僕の人生においては大きなことだから、それをつらつら書くつもりだが、これを書いたあと、次にEちゃんのことをしっかり思い出そうとするのは、死ぬ前くらいになるだろう。

「うちでしばらく生活したらいいよ」

大学を出て、これ以上ないくらいにお金がなかった僕に、Eちゃんはそう言ってくれた。相変わらず「家にいない」カスなおとんだけでなく、自分もお世話になってしまうことに、僕は最初抵抗があった。そんな気持ちも数か月後には忘れ、我が物顔で暮らしていたのだから、今思えば恥ずかしい。ほとんど二人暮らしだったのに、僕は当時のEちゃんの変化にまったく気がつかなかった。僕も、おとんを責める資格はない超カスだ。そんな僕の完全自己満足になるかもしれないが、この機会に彼女の人柄のわかるエピソードを残しておきたい。

前にも書いたが、Eちゃんを一言で表すならば「徳の高い人」だ。「楽しいから」って理由で、カスを何匹も飼ってくれたのだから、今ごろは天国で神様にも拝まれているだろう。あまり笑わない、どっちかといえば静かめの人だったが、超のつく世話好きで、深夜に電話で誰かの相談に乗っているのを、何度も見かけたことがある。自分から顔や風貌を、「細長くした樹木希林」と表現して笑いをとったりもしていたから、そこはやっぱり関西人だ。しかし関西弁はしゃべらない。

そんなEちゃんは、カスミソウが好きだと言っていた。Eちゃんの仕事も水商売で、水商売に花は「つきもの」だからか、忘れやすい僕もこれはよく覚えている。ネットなんかでぜひ見てほしいが、カスミソウはどこにでも生えているような花というか、僕からしたらただの「クサ」で、特に気になるような花にはまったく見えない。なぜEちゃんはそんな花が好きだったのか。これを書いていて気になったから花言葉を調べてみると、「無垢の愛」「感謝」「幸福」と出て、生前のEちゃんが望んでいたことのようにも思え、僕は切ない気持ちになってしまった。

ちなみにうちのおかんが好きなのはシクラメンだ。ついでにシクラメンの花言葉を調べたら「遠慮」「気後れ」「内気」「はにかみ」って出て、おかんのイメージとかけ離れすぎてて大爆笑した。人生で一度もはにかんだりしたことないやろ……、おかん、ええかげんにせえよ……。でも元気が出た。

そんなカスミソウが好きだと言ったEちゃんに僕は、「そういえば、阪神の監督だった野村克也が、自分のことをツキミソウにたとえてはったわ。自分をカスミソウにたとえた野球選手もおった気がするなあ……、誰やったかなあ」なんて話をしたのだが、それを聞いたEちゃんに、「そういう相手が望んでもない、どうでもいいトリビアを披露するところが、あなたの女性にもてなそうなところ！」と「ズバリ言うわよ」の顔で、ビシッと指摘された。このころ僕は、長いこと「彼女」がいない時期で、Eちゃんはことあるごとにそれをいじってきたのだが、少々うっとうしかった。

もう一発。そのころ住んでいた家の近くには、ボーッと考えごとをするにはちょうどいい公園があって、僕は喫煙ついでによくそこに行っていた。そこで、カスミソウらしき野花を見つけて、摘んで帰ったことがある。すると、「これはカスミソウじゃないよ」「え、でもそっくりやし、だいたいこんな感じやんカスミソウ」「細かいところに気がつかないなんて、おさむちゃんは花も女も見る目がなさそうね」と、Eちゃんはグサッと笑顔で刺してきた。よかれと思って摘んできたのにどんだけ毒吐くねんと、僕は正直傷ついた。思い返せばEちゃんは、常に歯に衣着せぬ物言いをする、僕には強い人に見えていた。そして、僕が恩をまったく返さぬまま、逝ってしまった。「見る目」がなかったのはそのとおりだろう。

遺体を確認したときは、ゲロを吐くくらい泣いた。ほぼ二人暮らしだった家には気持ち的にいることができなくなり、出ていった。しかし友達や知り合いには、一切言わなかった。まわりには、1年くらいしてから「平気な顔」をして、報告した。

「おさむちゃんは本当にバカだよね」

何か失敗するたびに、僕はEちゃんに言われた。財布をなくすたびに、「ブランドものを持てば、きっとなくさないよ」と、Eちゃんはアドバイスをくれた。あるときそれを思い出し、おかんにもらった尼崎製パチモンのルイ・ヴィトンの財布を使ったことがあるが、それもなくした。「バカね」と言ってくれるEちゃんは、もういなかった。

僕は、Eちゃんがいなくなって以来、「他者の生き死にの不感症」を、自分の作品内で強めていった。特に、「死」を茶化すような作品は多くなった。当初は、芸術表現として、「新しい死生観」を表現することだけが目的だったが、いつの間にか「悲しい死」を乗り越えるための精神安定剤、そして、僕流の「死者へのはなむけ」という目的が追加されていった。僕には必要なことだった。

そのなかでも、《リビング・メッセージ》というパフォーマンスが象徴的なものだ。Eちゃんの生前からやっていたパフォーマンスだが、Eちゃんの死後、僕の中でこれをやる意味は、大きく変化した。《リビング・メッセージ》は、推理小説やドラマなどである「ダイイング・メッセージ」のようなかたちで、死体のふりをした僕が、展覧会の来場者たちと血文字のようなもので会話し続けるパフォーマンスだ。「こんにちは」、「はらへった〜」、「タバコすいて〜」などの日常会話や、「鬱」、「薔薇」などの難しい漢字や熟語をわざわざ書いたりして、来場者と筆談する。小便や大便はその場で漏らす。始めたばっかりの2010年ごろは、全身血糊でべったりの「死体」が、元気に会話するというギャップを使って、ある意味狂気のようなものを見せたかった。しかし今では、そういったことよりも、「死」そのものを茶化すことが目的となっている。パフォーマンス中は一日中だらだらと、ふざけている。死を茶化すことは僕にとって、死を乗り越えることに近い。

Eちゃんのことは、考えすぎると再起不能になるレベルでしんどかったが、僕はEちゃんの他にも「悲しい死」をたくさん見送っている。大学の同級生の不慮の事故による「死」もあった。美術予備校でアルバイトしていたときの教え子の「死」もあった。これからも、そういったことはあるだろう。どれも悲しく忘れられない「死」だが、僕はほとんど思い出さない。でも、信じていることがある。「あちら」、彼岸があるということだ。天国であれ地獄であれ、「あちら」があると信じられれば、僕は「こちら」、此岸で「平気な顔」で暮らしていける。「あちら」という概念を考えてくれた、エライ人に感謝している。その発明に、救われている。

そして、僕は偶然にも、誰の死も悲しく感じなかったころ、2011年に発売した自分のビデオ作品集に、「ガタピシ！」という名前をつけている。最初の《リビング・メッセージ》も、この中に記録されている。「ガタピシ！」という名前をつけた当時は、自分と他者との関係がギクシャク「噛み合わない」といったような意味合いでつけた。しかし、ガタピシは漢字で書くと「我他彼此《がたひし》」。自分と他人と彼岸と此岸。自分と他者だけでなく、「あちら」と「こちら」まで、分け隔てられたものがギクシャクしている様子のことを指す仏教用語らしい。なんて僕らしい言葉だろうか。これからも僕は、それらと一生ギクシャクし続けて、たぶん豆腐の角に頭をぶつけるような、しょうもない感じで「あちら」に行くと予告する。そのときは、「バカね」が待っていることを、心から願っている。

《リビング・メッセージ》2011年〜(写真は2018年)／パフォーマンス
写真＝屋宜初音

ゲロとともに来たる

友達の連絡先がわからなくなるってことは、僕には普通のことだ。東京に出てきて、様々な友達ができたりしたはずだけど、僕はほとんどの連絡先を失っている。今僕が知っている、友達の連絡先の人数は……、尼にいる友達は三人。定期的に連絡をくれる人たちだ。前に書いた、当時いろんな人が出入りしていたはずの、高円寺の「リトル・アマガサキ」のころの友達は一人だけ。一クラス三十人はいて、何年も通い倒したはずの予備校時代の友達は、四人。大学、大学院の同級生はスマホを何度見返してもゼロ。大学入学時に同級生五十五人いてゼロ。前に名前が出てきた栗原良彰くんや大庭大介くんの連絡先はもうわからない……。

けれど、友達同士で、本当に「オモロい」と思い合っているとか、本当にお互いを必要としているときは、無理矢理でも連絡が来るものだ。馴れ合いのような関係はむしろ避けてきたし、人生相談する相手もされる相手も、僕はあまり必要としていない。僕は「これでいい」と思っている。しかし例外はあるもので、そんな僕が、15年以上も連絡先を失わないどころか、何をするのでも「ツルみまくっている」六人組の友達がいる。それがChim↑Pomだ。僕が、メンバーであるエリちゃんが言うところの、「賢い村の住民」ではなく「バカ村の住民」だったり、同じくメンバーであるオカヤンが言うところの、「おれらみたいなカス」だったからだろうか。まあ波長がなんとなく合ったのだ。

とにかく僕は、彼らがまだ無名だったころから六人全員と友達になったことにより、人生が大きく変わった。尼にはいそうでいないタイプのカスな人たちだ。卯城竜太、林靖高、エリイ、岡田将孝、稲岡求、水野俊紀。ここではいつもどおり卯城くん、林くん、エリちゃん、オカヤン、もっちゃん、水野と書く。どうせなら、彼らがあまり書かなそうなことを書いてみたい。

「Chim↑Pom」として彼らを認識したのは、東京藝大での特別講義だった。2005年。会田誠さんが大学でのゲスト講師として招かれ、その会田さんがさらなるゲストとして呼んだのが、結成して間もないChim↑Pomだった。講義は何日かに分かれて行われた。8ビット以下の僕のクソ脳をシバき起こして、めっちゃ必死にその講義内容を思い出してみると……。

① 会田さんの作品紹介

② 事前に提出していた講義参加者それぞれのポートフォリオ(活動実績、作品資料)を、会田さんが講評

③ Chim↑Pom の作品《ERIGERO（エリゲロ）》の紹介

④ Chim↑Pom メンバーである稲岡求（もっちゃん）による、僕の同級生への愛の告白

こんな感じだったと思う。

①では、会田さんがスライドかなんかで写真を見せながら、代表作を解説したり、当時の活動を紹介してくれた。会田さんの大学時代の話なんかも記憶にある。たしか会田さんの同級生の芸術家、小沢剛さんの話などもしていた。

②は、美大に行かなかった会田さんの教え子たち、つまりChim↑Pom たちに、藝大生の作品を寸評させようっていう、会田さんの悪巧みのような企画だったと思う。会田さんがポートフォリオを僕らにそれぞれ直接返すときに、会田さん自身の軽い講評があるのと、そのポートフォリオに貼ってある「Chim↑Pom たち」や岡田裕子さんの寸評を、会田さんが読み上げるって流れだった。岡田さんの寸評は、岡田さんらしい優しい書き口のコメントだったと記憶する。一方、二十代で血気盛ん、尖りまくっていた「Chim↑Pom たち」は、藝大生をボロクソに切りまくっていた。

「誰もおまえの個人的なトラウマなんて興味ねえんだよ！」

「つまんねんだよ！　文句があるならかかってこい！　おれは中卒だぞ！　こえーぞ！」

講義参加者のほぼ全員へ、ヤンキーでも言わないような厳しい言葉を書いていた。しかし、僕のポートフォリオの付箋には、

「おもしろい。

ともだちになろうよ。うしろ」

という汚い平仮名の文字とともに、電話番号が書いてあった。思えばこれが、僕と彼らのすべてのはじまりだが、それはあとで書く。

そのとき僕が提出したポートフォリオに載っていた作品は、《9.11ぶん死ぬマリオ》、《DVぶん殴られる春麗》など、実際にあった事件をファミコンのゲーム内でその数字分行うビデオ作品と、《テレビ放浪記》っていう、裸の大将こと山下清風の人がただテレビを見ている写真作品があったと思う。他にも世の中を皮肉ったような作品が何点か。ちなみにこれらの作品群は、Chim↑Pomには響いてくれたみたいだが、当時誰からも好評を得た記憶がない。だから、「おもしろい」は単純にうれしかった。
③は、当時ギャル中のギャルだったエリちゃんが、ピンクのゲロを吐き続けるパフォーマンスビデオ、《ERIGERO(エリゲロ)》の上映。エリちゃんのゲロ吐き中、他のメンバーたちがチャラすぎる「一気呑みコール」をする、初期のChim↑Pomを代表する作品といっていいだろう。Chim↑Pomによる作品解説も少しあり、ここでも若かりし卯城くんは、「ポートフォリオに、新しくて刺激的な作品がぜんぜんなかった!」と、目の前の藝大生に怒りと不満をぶつけていた。
そして④。Chim↑Pomメンバーのもっちゃんは以前、美大受験をしていて、そのとき

通っていた予備校に好きな子がいた。その子はたまたま僕の同級生で、この講義の参加者でもあった。で、もっちゃんは、「〇〇さん！　好きです！」と講義内で、ボリュームのツマミが壊れたような超でかい声で告白をし、「ごめんなさい」と盛大にフラれた。告白失敗のあと、裏でChim↑Pomたちは号泣したりしていたらしいが、藝大生の講義参加者のほとんどは、ドン引きしていたに違いない。

まさに嵐のような、人によっては悪夢のような特別講義だった。初めて見たChim↑Pomは衝撃的で、今までの芸術の歴史にはなかったチャラすぎるノリ、当時のギャル文化そのままの空気の読まなさ、そして芸術に対する誠実さを、僕は感じていた。とはいえ、文章中では便宜上名前を書いているが、このときの僕にはメンバー一人ひとりの名前など知るはずもなく、ただただ「スゲー人たち見た」って感じだ。

「ともだちになろうよ」と、例の付箋に書いてある電話番号に僕が電話したのは、それから半年後だった。連絡不精、あとは人見知りなんかもあったかもしれない。まあとにかく、僕はその日、気まぐれの気があったのか、電話をかけたのだ。思えば、この電話をかけなければ、僕は今とはまったく違う芸術家人生を歩んだと思う。

「あの……、覚えてますかね？　藝大の会田さんの授業で……、付箋に『ともだちになろうよ』って書いてあったんで、電話をしました。松田と言います」

電話の相手は少しの沈黙のあと、笑いながら言った。

「ああ、藝大の。ファミコンのゲームで作品とか作ってた人？　覚えてるけど、あれからだいぶ経ったよね」

「……人見知りかましてて」

「そうなんだ。ウケる。ああ、おれウシロリュウタ。おとめ座の二十七才。よろしくね」

そこからウシロと名乗る人物は、丁寧というか僕史上聞いたことがないくらい長い、自己紹介を始めた。どこに生まれ、育ち、引っ越しをし、初恋はいつのときで、十六か十七才くらいで彼女ができ、浮気され、ノイズバンドを始め、高校を中退し……、僕はときたま、「そうなんスね〜」の相槌に加え、「ああ僕もノイズ好きっス」とか、「高校を2年で中退？　僕はダブって4年行きました」なんて応答し、「ああ、じゃあ二人で平均して高校生活3年だね〜」なんて会話を挟みながら、ウシロリュウタのそれまでの人生を聞いた。そこまで話されると、今度は僕も自分の人生を話さなくていけない気持ちになり、生まれから話し返した。顔もわからない相手はそれを聞きながら、「超ウケる〜」を連発していた気がする。

「二度鑑別所？　前科もんか〜。前科のぜんちゃん！」

「いや、前科はついてないです」

そして僕の人生をひととおり話し終えたあと、こんどChim↑Pom主催でやる「イケイケアクション」ってイベントへ行くこと、会田さんちで呑むことを約束し、電話を切った。

あれは恵比寿だったか。電話で行く約束をした「イケイケアクション」へ、僕は向かった。２００６年だ。そこで、僕は卯城くんとはじめて会った。そのときの卯城くんは、日サロ通いが感じられる黒い肌に、全身「ギャル男」ファッションで、ドンキに売っていたらしい、バックルが電光掲示板のようになっているベルトを「かっこいいでしょ」と、もうえへやろってくらい自慢してくる男だった。当時の僕に、この人よりチャラい格好の友達はいなかったし、今思い出しても笑える。

しかしと言うと変かもしれないが、Chim↑Pom主催の「イケイケアクション」は、文字どおりイケイケのすさまじいイベントだった。内容を簡単に書くと、メンバーのもっちゃんは火だるまになり、俳人の北大路翼は鎌で刺され、当時から有名な画家、山口晃のめずらしいライブパフォーマンスに加え、会田家（誠・岡田裕子・寅次郎）の、会田さんが岡田さんに頭を掻いてもらってみんなに「カリコリ」という音を聞かせるというサウンドパフォーマンス（？）などなど、本当に「ヤバイ」パフォーマンスイベントだった。Chim↑Pom主催でしかできないイベントの始まりが、ここにあった。様々な個性やカルチャーのごった煮カオスイベントだ。

ラストは藝大の講義でも上映された《ERIGERO（エリゲロ）》のライブパフォーマンスだった。「シャンパンタワー」状に積まれたグラスの上に、エリちゃんがブラックライトで光るゲロを、ぶちまけた。エリちゃんは、「イエェ〜イ！」なんて今ではおなじみとなった、サービス精神全開すぎるあのノリで、ブゥテロテロテロテロテロ……、と何度も吐き続けた。まわりでは他のメンバーたちが、「なーんで持ってんの！　どーして持ってんの！　飲み足りないから持ってんの！」ってコールで盛り上げる。真っ暗い会場の中、キラッキラでドロッドロのゲロが、グラスタワーの下へ下へ、ゆっくり流れ落ちる。ヤバイ。僕はその場で、自分の中の芸術観や美意識といったものが、急激に拡張していくのを感じていた。吐き終わったエリちゃんはキラドロのゲロ入りグラスを高々と掲げ、観客にもそれを持たせ、「カンパ〜イ！」の音頭をとった。その場にいるほとんどみんなが、「ヤラれて」いるから全員一気に飲み干す。飲み干した酸っぱすぎるゲロが、少しだけ神聖にも感じたから僕も完全に「ヤラれて」いた。会田さんだけ少し嫌がっていたのを思い出すと、笑える。

「これが！　現代美術だぁあ！」

司会の卯城くんが、楽しそうに叫んだ。僕はもうすっかりChim↑Pomの虜になっていて、見たことも聞いたこともなかったこの「狂った」イベントに、感動していた。後で聞いた話によると、ミヅマアートギャラリーの三潴末雄さんは、「こんなのアートじゃねえ！」と、怒って帰ったらしいが。

その夜はイベント後、Chim↑Pomの中で唯一僕と同い年の、水野と朝まで呑んだ。僕はイベントの興奮が冷めやらぬって感じで、熱くしゃべったと思う。卯城くんは、ゲロを吐き続けて体調が悪くなったエリちゃんに付き添い、「また今度ね」って言って帰っていった。

今でも僕は、「イケイケアクション」をあれこれ悩むデビュー前の時期に見られてよかったと思う。あれを見て、僕の芸術は、「お芸術」であってはならないと強く感じた。これ以来僕は、同世代として強くChim↑Pomを意識し、なにか彼らとは違う「オモロい」ことをやらねばと思ってきた。まあ、日本の僕ら世代のほとんどの芸術家は、そう思っているから特別なことではない。しかし個人的なところで、僕はそう思わないと、彼らと「友達」にはなれないと感じていた。

その後、僕らは急速に仲良くなっていった。なにかにつけ、呑んだり遊んだりした。カスのシンパとでもいうのか、誰の展覧会のオープニングに行っても、終電を逃して朝まで残ってしまうのは僕とChim↑Pomだった。悪酔いしてケンカをした日も数知れず……。思しかし僕らはいつも飽きもせず、朝まで酔いどれ芸術談義に花を咲かせまくっていた。思えば尼にいたころの僕には、そんなふうに情熱的に、話す相手も話題もやりたいこともなかった。やりたいことができたのが、熱くなれたいちばんの理由だが、それの話し相手がChim↑Pomだったのは、情熱の燃料としてかなり大きい。その燃料は、尼では見たこともない、僕にとっては外国産のアブナイやつで。まあ、サッカーの日本代表が強くなったのが、多くの外国人の協力であったように、尼崎発祥の僕のセンスや生き方を、外からの目でオモロいと思って育ててくれたのが、違う文化圏の友達の、東京のChim↑Pomなのだ。

そんな彼らと僕は、自然とお互いの作品制作を手伝い合うようになった。Chim↑Pom作品の手伝いで僕が思い出深いのは、あまり知られていない作品だけど、2008年に制作された《ミロのヴィーナス》って作品だ。通称で、みんな「地雷マン」なんて呼んでいたから、はっきり言って僕もタイトルを忘れていた。カンボジアで行われたChim↑Pomのアートプロジェクトで、「サンキューセレブプロジェクト アイムボカン」という2007年から2008年にかけてのプロジェクトがある。そのプロジェクトの副産物のような作品が、《ミロのヴィーナス》だ。なぜ、その《ミロのヴィーナス》が僕にとって思い出深いかというと、僕が個人的にいい作品だって思っているのもあるけど、なにより手伝いが超過酷だったからだ。僕自身の制作も含めて、人生で過酷だった制作、ぶっちぎりでランキング第1位。たぶん4日間で2時間くらいしか寝てない。二十代だったからできたようなものだ。

「助けてくれ！　あと4日しかないんだ！」

超焦る卯城くんに頼まれ、卯城くんと二人で千葉の会田さん宅へ向かったのを覚えている。会田さん宅の前には二階建てのプレハブ小屋のスタジオがあって、当時Chim↑Pomはそこを間借りし、《ミロのヴィーナス》の制作を行っていた。この制作中も、会田さんと岡田さんは、まだ小さかった寅次郎と格闘しながら、僕らにメシなんかを振る舞ってくれた。

造形のリーダーはもっちゃんで、これは現在のChim↑Pomまで続く「スタイル」だ。今では、もっちゃんは工務店もビックリのスキルや知識を持っているから僕が教えることなんて何もないが、このころは僕が藝大で習った「石膏の型取り」を教えたりしていた。もっちゃんは本当に器用で、教えたらすぐ実践できる。それが、Chim↑Pomの造形のほとんどすべてに、このもっちゃんがかかわっている理由でもある。僕はもっちゃんにはめちゃくちゃ世話になっていて、展示用モニターに超絶技巧のカバーを作ってくれたり、2018年の個展「リビング・メッセージ」では、京都まで来て展示設置を手伝ってくれた。マジで心強い。しかし、もっちゃんは「こだわりやさん」すぎて、締切を守るのが大の苦手だ。ここに、もっちゃんが素晴らしい技術とセンスを持ちながら、美大受験に失敗し続けた理由がある。そして、《ミロのヴィーナス》でもそれは十二分どころか百分くらい発揮されていた。

「あと4日」というのが千葉に行くまでの道中で、卯城くんが焦りながら繰り返した言葉だ。2メートルくらいになる予定の石膏像、まあ半分くらいはできているんだろうなと思いながら、僕は到着したスタジオのドアを開けた。そこには、足の甲くらいまでしかできてない石膏像と、そのクルブシあたりに載せる部品の角度に延々と悩むもっちゃんがいた。オカヤンはもう諦めているのか、無心の顔だった。

「まだクルブシかよ！」

僕は爆笑したと同時に、これからの数日を思い恐怖した。そこからは本当に過酷だった。部品である地雷の石膏コピーを作っては積み、作っては積み……、最後、搬入用の軽トラに載せるときには、まだまだ水分が抜けきってない石膏が激重すぎて、運ぶのにも苦労した。当時《ミロのヴィーナス》は東京駅近くのビルで行われたアートフェアに出品するための作品で、今だからこそ書けるけど、あれは絶対既定の重量をオーバーしていたと思う。しかし積んで終わりではない。運ぶ人数が足りないからと、僕は睡眠不足と体力限界のボロボロのまま、搬入用軽トラに乗り込み、会田家へロクに挨拶もせず東京の会場へも向かった。他の人がどうやって会場へ向かったかは記憶にない。そして、オープンギリギリの時間に、《ミロのヴィーナス》は置かれたのだった。Chim↑Pomはその後もギリギリのボロボロ、こんなんばっかりなのだが、なかでもこれがスペシャルだ。園田の工場のバイトを逃げ出した当時の僕なら、死を選ぶレベル。

そういえば、賽の河原より神経を使うような「石膏地雷」の積み上げ作業中には、当時もっちゃんが好きだった「yui」のアルバムが流されていた。ずっと「yui」オンリー。今でもどこかから、「こ〜い〜しちゃったんだ〜たぶん〜」とyuiの歌声が聞こえてくると、僕は《ミロのヴィーナス》を思い出す。あのころ、じっくり恋をしちゃえる余裕は、僕らの誰にもなかった。

つらつら書いてきたが、僕と六人をつなげているものは、本当のところ、過酷な協働作業の記憶でもノリでもなく、お互いがお互いの「オモロい」作品や話を見たい聞きたいという、それぞれの「欲望」なのだ。だから仲がいい友達といっても、一人ひとりは孤独だ。まあフワフワした人生相談なんてしないような、キビしーっちゃキビしー関係なのだが、僕は一見キビしそうに見えて、じつは人情深い人が多くいる、尼のネットワークに近いものを感じている。ギリギリになったらめちゃくちゃ助け合う、ふだんは個人主義すぎるネットワーク。僕にはそれが気持ちいい。

へん

本当に自慢もへったくれもない話だけど、僕は偏食だ。今でも生野菜全般が苦手。あったかい食べ物もできればごめんこうむりたくて、「冷や飯」はむしろ好物だ。貝類も苦手。魚卵はもっと苦手。僕と一緒に寿司屋へ行くと、全部の注文がまぐろ系だから、恥ずかしい人は恥ずかしいかもしれない。この本の中で僕は、運がよかった～ああ運がよかった～、と繰り返し書いているが、一番運がよかったのは、幼少期から偏食で、「ロクでもないもん」しか食べてないのにもかかわらず、健康でいられたことだと思う。そういえば兄弟三人とも偏食で、兄弟三人とも病気知らずではあるから、もともと体が強いのかもしれない。兄弟三人ともが、コロナどころかインフルエンザも未経験だ。尼にはそういう人が多い気もする。でもやっぱり、歯はボロボロだ。

唯一病気というか病院話で思い出すのは、僕も、次男である弟も小学生のころ。僕と年が九個離れた三男坊はまだ生まれていないころだ。2月の節分の日。うちはこういった年中行事なんてたいていシカトなんだけど、この日は豆まきをした。とはいえまわりに大人がいた記憶がないから、家族で行ったというよりも、誰かにもらった豆を、家で弟と二人でふざけてまいていたって感じだ。最初は「やってみるか」と自嘲気味にお互いに投げ合っていた気もするが、そこは「尼っ子」。そのうちふざけるのが加速していって、口から吐いたり、阪神のピッチャーの投げ方を真似して投げたり、そして、「おさむぅ！　出てこんくなったあ！」鼻から豆を噴き出すのを楽しんでいたあたりで、弟がベソをかきだした。豆を噴き出すために息を思い切り吸い込んだら、豆が鼻の奥のほうにつっかえてしまったようだった。

僕は焦った。弟が心配というより、おかんに怒られるのが嫌だったからだ。兄とは、親と弟との間で苦労する、中間管理職なのだ。上司からシバかれるのを避けるために、動かなければならない。僕はすぐに弟に駆け寄り、無理矢理弟の鼻の穴を指でこじ開け、奥をのぞきこんだ。申し訳なさそうに、豆が少しだけ見えた。

「あかん。手術が必要や。このまま一生取れへんかもしれん」

「ええ〜！　おさむ、取ってぇ！」

弟を床に寝せ、爪楊枝による豆の除去手術を行うことにする。執刀医、僕。おかんに怒られたくないのは弟も一緒で、明らかにヤブ医者の手術だとわかっていても、おとなしくしていた。目を瞑《つむ》り、両手は拝むように握られていた気がする。しかし爪楊枝を突っ込んだら豆は見えなくなるし、手術は困難を極めた。

へん

ブスリ。

「あ、ごめん」

ヤブ医者は医療ミスを犯す。鼻の中に爪楊枝を突き刺してしまい、弟は声にならない悲鳴をあげる。鼻血が出る。豆は出ない。

「もうええ！　もうこのまま一生生きるからええ！」

弟は泣きながらそう言った。僕はそれでも怒られるのが嫌だったので、「それ、医者に行ったら100万円くらいかかってしまうで」なんて半ば弟を脅迫し、手術を続けた。僕らが豆まきを始めたのは夕方。ふだんのおかんは夕方前の昼下がりには店に行き、夜の22時くらいにいったん家の様子を見に帰ってきたりしていた。その日もそんな感じだったと思う。豆の除去手術は終わらないまま。おかんが帰ったときには、僕も泣いていた。

「どうしたんや！」

僕ら二人は血と涙でぐちゃぐちゃ。家は豆だらけ。事情を話すとおかんは怒るより呆れていた。この日、おかんは店に戻らなかった。僕に代わって、深夜まで豆と格闘した。ピンセットやらなんやら、化粧道具を取り出すたびにおかんは、「これでいけるやろぉ！」なんて決めゼリフを言うが、ついに豆は出てこなかった。もう最後のほうにはおかんは、「もうとれへんかったら、それを売りにして、『鼻詰まり豆太郎』って芸人になったらええねん」なんて言っていた。

次の日の午前中、弟は、「ジビカ」っていう当時の僕らには聞き覚えのない場所に連れていかれ、豆を取ってもらい、笑顔で帰ってきた。

「『豆太郎』にならんでよかったやん」と僕は弟に声をかけ、「世界一しょうもない医療費つこうてしもたわ」とおかんが愚痴っていたのを覚えている。兄弟での病気やケガによる通院の記憶はこれくらいだ。我が家が、風邪ひこうがケガしようが滅多なことでは病院には行かない方針だったってのもあるけど、僕ら兄弟全員、家が貧乏なのもわかっていたし、おかんに怒られるから、しんどいやら痛いやらをほとんど言わなかったのだ。そう言うと、おかんは下を向いてしまうかもしれない。しかし、本当に運よく僕らは生き延びたし、弟も「鼻詰まり豆太郎」にならずにすんだ。

食事の話に戻す。再びおかんが下を向いてしまう話かもしれない。僕らが小さいころから、おかんは仕事が忙しいのもあって、あまり家で「食事」を用意することはなかった。インスタント系の食べ物を僕が作り、兄弟で分け合って食べた記憶がたくさんある。それでもおかんがたまに作ってくれたブイヨン一つ入れただけの鍋や、水分多すぎのカレーは、今でも僕の舌に懐かしい味として残っている。

で、ほとんど毎日、「おかあさん今日しんどいからこれでなんとかし〜」なんておかんは言いながらお金を渡し、自分で買って食べていた。100円未満を渡されて、「これで何買うねん」って日もあった。しかし、末っ子である三男坊が、腹がへったのかセミを食って学校での「ぎょう虫検査」に引っ掛かり、家族全員「虫下し」を飲まされたり、次男坊が食い物の万引きで捕まったりした影響もあってか、あるときから、少なくとも兄弟一人ひとりアンパンが食べれるくらいのお金は渡されるようになった。でもこれは、おかんの失策だったと思う。僕は、渡されたお金を「食事」に使うことがほとんどなかった。おかんが「あんた今日何食べたん?」と、一応お金を何に使ったかを尋ねてくるセキュリティーシステムがあったが、そのシステムはガバガバだった。僕は毎回テキトーに答えて、玩具やマンガなど、自分の欲しい物を買っていた。

このころの僕は、あと3日メシを我慢したらマンガの単行本が買える、あと5日メシを我慢したらボードゲームが買えるなど考えて、暮らしていた。どうしても腹がへったときには、安いスナック菓子を買って、無理矢理腹をふくらませていた。アホはアホなりに栄養のことを考え、そんなとき僕は、「キャベツ太郎」を選んでいた。名前に「キャベツ」、包装も緑で、他の菓子よりも栄養があると思っていた。だいぶ後になって、その名前の由来が「芽キャベツと形や大きさが似ている」っていう、ただの見た目だと知ったときは、「サギやんけ!」ってびっくりした。

毎日そんな調子の食生活だったから、僕の健康を支えたのが、学校の給食だったことは間違いない。しかし、そんな栄養士大先生の考えてくれた栄養バランスのいい給食も、食べ物を自分でよそう配膳システムにより、僕は「嫌いな物」はすべて排除してしまった。

学校と同じ「配膳システム」を採用していた鑑別所、更生保護施設なんかでも、僕は同じ調子だった。そんなS級偏食者が中学を出て一人暮らしを始めたら、偏食は加速するしかない。当然のように好きな物しか食さない。

カスなもんしか食してないからか、そのうち僕は「食」への興味も薄くなっていって、「もう食べるのダルいから、夜寝てる間に誰かプスッと、栄養を注射しといてくれへんかな」なんてまわりに言っていた。でも「キャベツ太郎」を選んだときと同じく、便器に貼りついたウンコカスくらいには栄養も気にしていて、そこで出会ったのが僕の永遠の相棒、大塚製薬の「カロリーメイト」だ。国定忠治に義兼の刀。キャプテン翼にサッカーボール。松田修にカロリーメイト。なかでもフルーツ味が僕の好みだ。ボソボソとしたハッキリしない味が妙に気に入り、僕は三十過ぎまでほとんど毎日これだけを食べていた。

そんな生活でも僕は一切病気にならなかったから、カロリーメイトはマジでヤバイ。しかしそんな食生活を美術予備校時代にまわりの友達にイキって話していたことは、少し後悔している。「え、カロリーメイトすごっ！　それでイケるの！」なんて信じて真似した人がいたが、うまくいかなかった。カロリーメイト生活は、小さいころからの貧しい食生活、「スラムめし生活」による、スラムエリートの僕だからこそできた食生活なのかもしれない。それともやっぱり超運がよかったのか、これからそのツケが一気にくるのか、それは神のみぞ知る。

そんなふうに野菜を体に一切入れず、カロリーメイトのみをボリボリ食う僕を見て、「霞《かすみ》を食う若仙人」なんて表現したのが会田誠パイセンだ。貧乏人のクソ食生活を、仙人の修行だと考えればなんだかウケるし、尊くも思えるからさすがだ。尼には仙人がいっぱいいるって話にもなる。その会田さん、会田さんのパートナーでこれまた芸術家のパイセン岡田裕子さん、息子の寅次郎の「会田家」には、僕は二十代のころから世話になっている。会田宅に行っては手料理や酒を振る舞ってもらい、それ自体が僕にとっての「食育」だった。

会田さんの食育といえば僕が二十九才のとき。僕の初個展のすぐ前で、会田さんの助手として、サンフランシスコへ行ったことが思い出される。アメリカの西海岸エリア、サンフランシスコ滞在は1か月くらいで、美術館での会田さんの公開制作だった。会田さんは、芸術の世界では知らなきゃ「モグリ」認定されるような、説明不要の芸術家だが、特にタブーや残酷な情景を描く画家として知られている。それに、僕のような、死体やら排泄やら変態性交やら鬼畜系やら、とにかくヤバイものが好きだった90年代から00年代初頭のサブカルに「ヤラれた」人間を、アートや芸術へも目を向けさせる、芸術とサブカルの橋渡し的な役割をしていたのも会田誠だと思う。会田さん本人にはそんな気はなかったかもしれないけど。

そして、前に書いた赤瀬川原平さんと同じく会田さんは、「へ理屈」の上位互換、「ま理屈」芸術の達人でもある。そんな会田誠に、若い僕がとりつかれないわけがなかった。会田さんがいなければ芸術を志すことがなかったかもしれないし、影響をクソほど受けた。影響を受けたといえば、僕が今も敬愛しているアメリカ西海岸の芸術家たち。西海岸の日差しやハッパで「頭ヤラれた」としか思えない、「下品」文化全開の芸術家、ポール・マッカーシーやマイク・ケリー。彼らの存在は、僕が尼崎の「下品」と言われる文化を展開しようとするきっかけのひとつだ。会田誠と西海岸。そんな僕にとっての「ダブル役満」の誘いを、僕が断るはずもなく、僕は二つ返事で助手の話を引き受けたのだった。ってまあ、サンフランシスコからロサンゼルスへ行くこともなかったし、観光するような余裕のある日程ではなかったのだけど。

今思えば、会田さんが英語もロクにしゃべれない僕を助手にしたのは超謎だ。しかも公開制作だから、お客さんとのやりとりまであった。1か月間僕は、話しかけてくるお客さんだけでなく、美術館スタッフからピザ屋のオネエチャンまで、身振り手振りプラス顔芸付きの「happy（幸せ）」と「sad（悲しい）」で大体乗り切った。まあ作業3日目には、ギャグも含めて「I can not speak English.」って手書きしたTシャツを作り、会田さんも僕も毎日それを着て作業をしていたから、お客さんも「察して」いたとは思う。このとき制作した会田さんの作品名は、《モニュメント・フォー・ナッシングⅢ》。サイズがハンパなく巨大で、いろんな画像のコラージュの上から、会田さんが着色して完成。「なんにもないもののための記念碑」を超巨大に作るってのが会田さんらしい。これはそのシリーズ3番目の作品になる。この展覧会では他にも世界中から何組かの芸術家が呼ばれていて、会田さんの他の芸術家はなんというか、「シュッ」とした抽象画の人たちだった。当時会田さんは、「おれはアジアからの珍客枠だから」と笑って言っていた。

そんな《モニュメント・フォー・ナッシングⅢ》は、パズルのように組み合わされたベニヤ板でできている。貼られた画像に沿って、ジグソーという電気のこぎりで、ひたすらそのベニヤ板を切り続けるのが僕の主な仕事だった。大変だけど、難しい仕事じゃないし、気候も暑くもなく寒くもなく快適で、毎日のメシはピザなどのジャンクフードが中心だけど僕には合っていて、おまけにタバコのポイ捨ては、「雇用を作るための正義」だなんて現地人に教わって、僕は毎日楽しかった。けど会田さんは……、「ピザとかハンバーガーじゃなくて、青い物が食べたい……」と、着いて3日目には嘆いていた。

その後も、「僕は細身の女性が好みで、見かけるだけで幸せな気分になれるけど、アメリカ人は大きくてたくましい女性ばかりだ……」と、5日目くらいに言い、「アメリカ……」と、会田さんはみるみる元気を失っていった。そこで、会田さんの心身のために も「とりあえず、青い物を食べに行きましょう！」っていう話になった。その「青い物」を目指して会田さんは、僕をチャイナタウンに連れていってくれた。チャイナタウンの大通りにある、キレイで、僕らみたいな外国人も入りやすそうな店ではなく、ちょっと小道に入った、割と汚めの、小さな中華料理店に入った。

「こういう、ここに住む中国人向けのお店のほうがおいしいんだよ」と、ちょっと得意げに会田さんが教えてくれたのを覚えている。店に入るだけでもうすでに、会田さんはウキウキ楽しそうだった。会田さんは念願だった青物たっぷりの、空心菜とか白菜みたいなのがめっちゃ入った料理を注文していたと思う。僕はラーメンを頼んだ。そして注文した料理をそれぞれ食べたのだが、僕はその当時いつもしていたように、野菜類と、あとは魚の練り物のようなものを残していた。

「残さず食べちゃいなよ。おいしいよ」

ご機嫌な会田さんがそれを見て、僕へ残さず食べることを提案してきた。会田さんは自分の生気を取り戻してくれた、店への気遣いもあったのかもしれない。

「いや、なんかこれ、食べると味がダメで吐いちゃう気がするんですよね」

「たぶんそれは精神的なものだから。味は関係ないから。大丈夫大丈夫」

「いやでも……」

「喉を通れば吐くなんてことないから。科学的に」

ゴキゲン会田パイセンはご機嫌だからかめずらしく押してきた。日本ではこんなことはない。今考えれば「残さず食べなさい」なんて僕に言ったのは、この世でおかんと会田さんだけだ。悪い予感しかしなかったが、僕は会田さんがそこまで言うならと、覚悟を決め

へん

た。どんぶりに残っていた物をスープとともに一気に口へ流し込み、飲み込んだ。

ゲェエ……。

ダメだった。「あ、これウチ受け付けてませんわ！」って、「残り物」は僕の胃に入る前に検問に引っ掛かり、抵抗もせずすぐに逆流を開始。僕はそのままテーブルの上のどんぶりに吐いた。「ええ……、ほんとに？」と、目の前の出来事に信じられないという感じで、会田さんが驚いていた。チャイナタウンから帰ってその日の作業中、僕が「まだなんか気持ち悪いっすわ〜」と言うたびに、「気のせい気のせい。あれがそんなに体に影響を及ぼすことなんてないんだから！　科学的に！　松田は神経質だなあ！」と、会田さんは笑っていたが、同時に、少しだけバツが悪そうだった。

会田さんは日本でも僕らみたいな芸術家に手料理を振る舞いまくってくれるし、作業の合間の「気休め」っていうのもあったかもしれない。しかしチャイナタウンゲロ事件以降、食をこよなく愛する会田誠の「母性」のようなものに火が点いたのか、会田さんはほとんど毎日夜ご飯を作ってくれるようになった。ちょうど僕らの泊まっていたホテルには、それぞれの部屋にキッチンがついていたこともある。僕は会田さんの部屋で会田さんが作ってくれた夕食をとり、酒を呑み、自分の部屋にフラフラになって帰るのが定番になっていった。

「これからのアーチストは、長生きして、長く作品を作り続けたほうがいい。だから、野菜も食べられるようになったほうがいい。偏食も松田の個性だとは思うけれど、ちゃんと食べられるようになったほうがいい」

会田さんは、繰り返しこのようなことを言っていたと思う。会田さんの夕食は、正に「食育」って感じで、「ハイ！　それ松田が嫌いなニンジン入ってました～！　気づかず食べられただろう?」って僕の苦手な野菜の調理方法を、直に食べさせて教えてくれたり、「このドレッシングをかければ、松田は『ナマ』でも大丈夫みたいだな。このドレッシングは……オリーブオイルと酢とコショウと……」って、日本へ帰ってからも、自前でサラダを作って食べられるようにしてくれたりした。

「アメリカ人も野菜嫌いが多いんだ。けれど、彼らもブロッコリーなら食べられる。ブロッコリーは栄養も豊富だし、松田もそれくらいは食べなよ」なんて会田さんらしい蘊蓄《うんちく》も得られた。野菜だけじゃなくて、

「日本にはない、本物のベーコンを松田に教えてやる。日本にあるベーコンは、だいたい加工肉のニセモンよ～！」と、市場で激ウマベーコンを手に入れ、焼いて食べさせてもくれた。「食育」以外でも「芸育」、つまり僕は毎日酒呑んで夜遅くまで、会田さんを質問攻めにしていた。たまに生意気言って怒られた。今思うと個展デビュー前の僕は、「期待しかしていない」キラキラした状態でめんどくさかったと思うけど、会田さんはなんでも誠実に答えてくれた。

へん

その後、無事《モニュメント・フォー・ナッシングⅢ》を完成させ、日本へ帰った。そのとき、持ち金のドルを円に替えようとして、「手数料たっか！」なんて僕が騒いでいたら、「おれはまたドル使うから、おれが替えてあげるよ」と、会田さんは手数料なしで僕のドルを全部円に交換してくれた。会田さんは最後まで優しかった。会田さんの食育、芸育、そして会田流の「優しさ」は、尼人の僕にとってはChim↑Pomの刺激と同じく「外国産」で、阪神タイガースでいえば初の外国人監督であるドン・ブレイザー。歴史でいえば黒船に乗ってきたペリー提督なのだ。僕はこういった人たちによって「心の開国」をし、「尼の文化」をドバドバ芸術へ注入していくことになる。

まあ「会田家」のおかげで少しマシになったとはいえ、僕は今でも、「偏食」「バカ舌」「猫舌」の三拍子揃った、偏食界のスーパースターだ。そして僕は、いまだ毎日のように食べてしまう即席袋麺や、以前十何年も毎日食べ続けていたカロリーメイトのようなモチーフを使って、自分の偏食体験からくる《A Day》や《The Pattern》（ともに２０１８年）っていう写真作品を制作している。

前者はタイトルにあるような偏食者の１日を、後者はカレンダーのように並べて偏食者の１週間や１か月を表している。その背景には貧困などの問題が隠れているし、偏食者として育ってしまった人間の、好みや習慣を変えるのが難しいってことは、貧困尼育ちの僕が身をもって知っている。そのうえ医者にも滅多にかかりたがらないときたら、早死にし

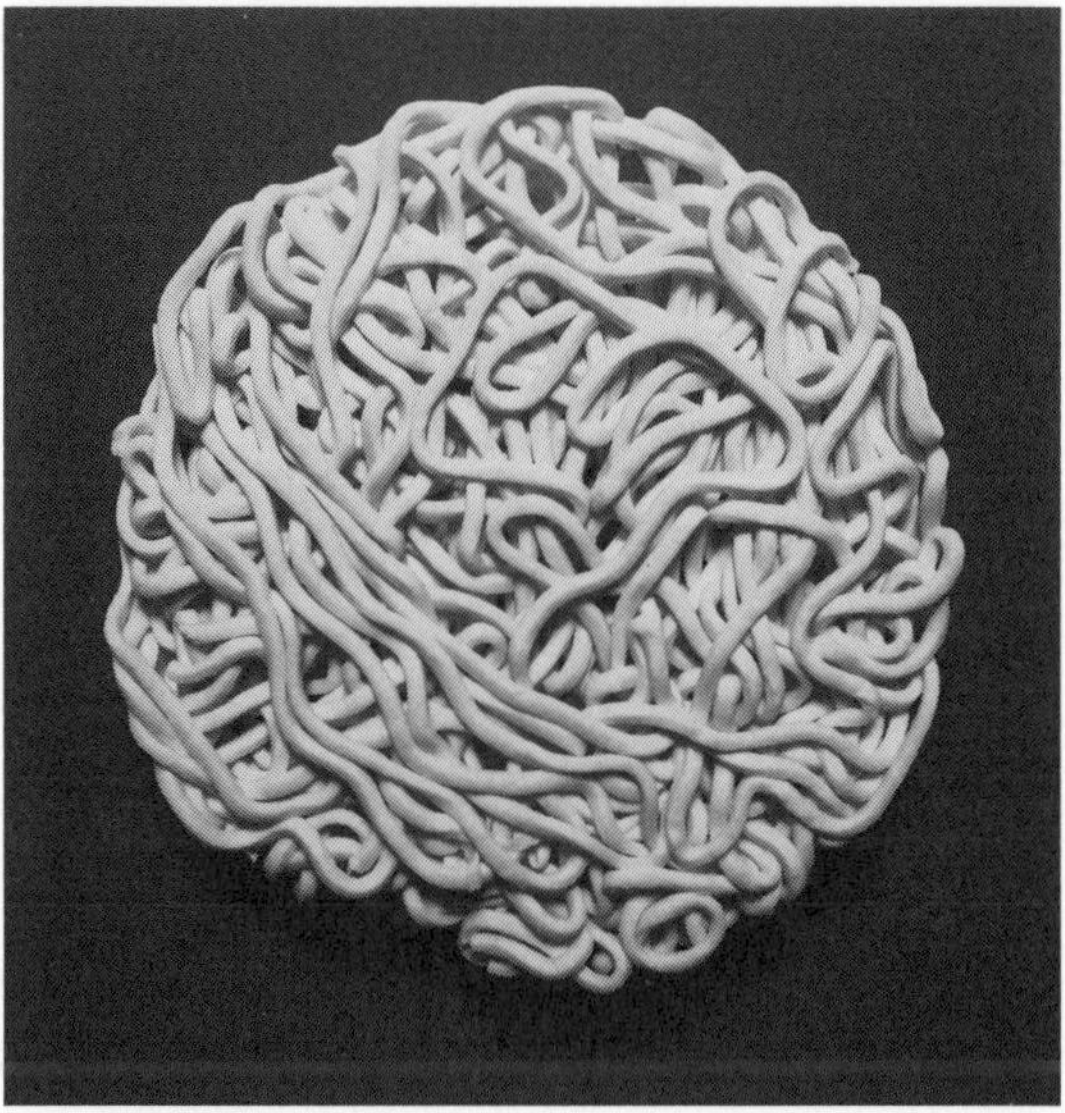

上・《A Day》2018年／ジークレープリント

下・《The Pattern》右から（Syo-yu）、（Calorie mate）、（Shio）2018年／ジークレープリント
写真＝浅野堅一

そうな確率は高いが、当の本人たちは「あっけらかん」としていたりもする。これも、僕はよく知っている。

そういう意味では、このシリーズは僕の自画像のようなものといえる。僕は真に偏食を直して、雑食、飽食、健啖家になんてなれそうにないから、このシリーズは「決定版」が出るまでは続く気がしている。

まあ芸術の世界では、いろんな「へん」が役に立つ。「偏」もそうだし「反」もへんと読めるみたいだし、「編」なんかもイケてる。そんなことも、僕は芸術に対して常に誠実な、「変」人会田誠に教わった。

アニキ

僕は長男。いわゆる「アニキ」は存在しない。それに、僕の家族内では「オニィチャン」と兄を呼ぶ制度も導入されていない。弟たちは基本僕を「おさむ」と呼び捨てにするが、嫌な気持ちになったことはない。逆に、「オニイチャン、あんな〜」なんて弟が言ってきたら、絶対めんどくさい頼みごとがあるときだから、警戒することにしている。関西では、年上の先輩を「アニキ」「ニーサン」などと呼ぶ風潮があるが、僕は尼にいるときでさえ、そんな風に呼んだ人はいない。むしろセンパイコーハイなどという関係が苦手だった。尼にはセンパイコーハイを強いてくる人が多くいる印象があるが、僕はそんな人たちをうっとうしいとすら思っていた。

しかし、人間に、「アニキ的な存在」が必要ないのかといえば、必要だとも思える。最近よく聞く言葉でいえば、「メンター的な存在」か。いつでもどこでも、なにかにつけ自己発信できる時代になったからこそ、自分のキャリアや、人生のゴールを長期的に相談できるような「メンター」が、必要なんじゃないかと僕は思う。

まあ尼崎で「アニキ」といえば、百人中百人が阪神タイガースの「金本知憲」選手のことを思い浮かべる。野球どころか運動に興味のない僕も、例に漏れない。というか、商店街やら駅前やら、街の中が阪神タイガース一色の尼崎で、阪神のことを無視して生きるのは難しい。タイガースが好きか嫌いか、その二択の人生しか選べない。そして僕は93年か94年くらいの新庄、亀山選手のプロ野球チップスカードを今でも捨てられないくらいには阪神が好きだ。そして、「わたしは阪神『ふあん』とちゃう」と断言するおかんも、きっちりタイガースの「法被《はっぴ》」を持っている。どちらも標準的な尼人と言える。

今も昔も尼崎では、阪神電車内でガタゴト揺られながらタイガースの応援歌である「六甲おろし」を、喉が千切れるくらい大熱唱するオッチャンらに遭遇できる。幼いころには、夜中にどこからか六甲おろしを3番まで歌っている声が聞こえたら、「ああ、今日阪神勝ったんやな」って、なんだかうれしくなったものだ。オッチャンらを僕らも日常として、愛していたような気がする。そんな阪神狂のオッチャンらは酒に酔っている酔っていないに関係なく、タイガース唯一の日本一、1985年の話を興奮状態で話すことが生態として知られている。

そして、阪神愛が強すぎるあまり、えげつないヤジを選手たちに飛ばすことも、広く知られている。「ボケカス〜！　ちんぽこついてんのかい！」は序の口。「殺すぞ！　死ね！胎児からやり直さんかい！」と血走った目で選手を罵ることを、オッチャンらはまるで仕事のように考えている。90年代は最下位が定位置の暗黒時代だったこともあり、前述の新庄、亀山選手もくらいまくったはずだ。しかし、そんなオッチャンらがほとんどヤジを飛ばすことなく愛したのが、「アニキ」こと金本知憲選手なのである。連続フルイニング世界記録の更新中に右肩を痛め、スローイングもままならない時期はボロカス言われたりもしていたが、あれは真弓監督が悪い。

そんな金本選手が「アニキ」として愛された理由は、広島カープから移籍してきて、阪神を二度もリーグ優勝に導いてくれたことが大きい。そして、今岡、赤星、濱中選手など、十ほど年の離れた若い選手に気を遣わせることなくのびのびプレーさせていたような、「器がデカい」感じ、「ケツは持ったるで〜!」感がオッチャンらの琴線に触れまくったのだ。特に、打順のすぐ前を打つ赤星選手に対しては、早打ちせず、盗塁のために何球か待つなどしていた。赤星選手が5年連続の盗塁王に輝いたのは、金本選手のおかげでもあるだろう。まさに「アニキ」スタイルだ。17年ぶりに最下位になってしまった「金本監督」の話はこの際、措いておく。

金本選手が移籍してきた2003年。僕は東京で、大学に入ったばかりのころだった。このころ尼崎に帰れば、みな阪神の話をしていた。尼に帰らなくても、電話やメールで阪神のことを誰かしらが伝えてきた。シーズンの始めだけはいつも強い阪神へ、みんないつもどおり最初は懐疑的な目を向けていたが、夏には「その気」になっていた。20年近くなかった阪神のリーグ優勝への期待という熱で、夏にはみんながラリっていた。「星野監督に抱かれたいわ〜」って、当時の監督へうっとりするキモいおかんを覚えている。僕は、大学入りたてである自分と、移籍したてである金本選手を重ねていた部分もあったのか、阪神専門の新聞と化している「デイリースポーツ」を買うたびに、金本選手の成績を追った。リーグ優勝直前には、「帰ってけえへんのけ！」って電話が、尼からめちゃくちゃあった。僕には「帰ってこい」と、このとき以上に言われた年はない。2003年は、そんな年だった。その2年後の2005年のリーグ優勝は、2年前よりもやや熱狂が薄かったけど、金本選手が40本目のホームランを打った日のスポーツニュースは家で見て、自分のことのようにうれしかった。

しかしまあ僕は、尼にいたころには、金本選手のような、「僕の可能性」を信じてくれるような「アニキ」に会ったことはない。可能性を信じてくれるどころかガッコーのセンセー、更生施設で会うケースワーカーのような人たちは、同調圧力というか、「このような人になりなさい。このような人生を送りなさい」なんて型にハマった「オモんない」人生をすすめてくる人ばかりで、僕は辟易していた。いうなれば「逆アニキ」で、めっちゃうざかった。まあ、僕自身が「自分の可能性」を信じていなかったから、「逆アニキ」を呼び寄せていたのだと自業自得の自覚はある。で、東京に来て、芸術を始めて、「自分の可能性」を信じるようになったからこそ、自然に、自分にとって必要な「アニキ」に出会えるようになったのだと思う。前に書いたChim↑Pomや会田さんもそう。つまり僕が考える「アニキ」という存在は、まず「自分を信じている」前提で、その自分を高めてくれる存在だ。その上で、僕の経験からくる、こんな人はいい「アニキ」だよ、とか「アニキ」との出会い方、なんてことを書いてみたい。

一人目は、僕が「尼のカス観」を芸術にしたいと話したり、僕の大学時代の作品たちを見て、「こんな『芸術』があってもいいと思うよ」って背中を押しまくってくれた、大学院のセンセーだった櫃田伸也《ひつだのぶや》「アニキ」。僕の作品は、今も昔も観てすぐに「芸術や!」とわかるようなものは少ないから、当時の僕にとってこの言葉は勇気をもらう言葉だった。「おいおい! いきなり藝大のセンセー様かよ!」なんてツッコミが飛んできそうだが、このアニキは僕の大学時代、年間200本くらい展覧会を観に行く「鑑賞の鬼」だった。そんな人は僕の知る限り、他に存在しない。約束もせず、展覧会場や美術館、果ては映画館で、何度も何度も偶然会うなんてことがあったのは、櫃田さんだけだ。

別に大学教授やセンセーじゃなくても、「現場をたくさん観て」それを教えてくれる人は、無条件でいい「アニキ」だろう。プラス自ら精力的に制作、活動していたら、最高だ。これは芸術に限ったことではないと思う。逆に、「観ない、作らない」人なんて無視していいくらいに僕は思っている。だからか、僕は肩書がどんなだろうがネットでだけブイブイいわせているような人の意見なんて、まったく気にしない。あと櫃田さんは、「いじらせてくれる」アニキでもあった。権力的でマッチョな振る舞いはゼロ。たたずまい的には妖精のような、どこかかわいらしい人で、学生だった僕は、「センセー、自分からかわいい感じをよそおってるんとちゃうん！」なんて会うたびにいじったりしていたが、センセーは嫌な顔ひとつしなかった。代わりに、「松田がからかうから、最近体調が悪くなってきた。来年死ぬかもしれない」なんてニヤリと笑いながら、いじり返してきたりもする人だった。

人との出会い方でいえば、個人的には「呑み会」がいい。自分のコミュニティーにいない人に会える。そういう会をたくさん開く友達がいると、オモロい人にたくさん会えるから、そんな友達もめっちゃいい。初めはそんなどこかの呑み会で会って、仲良くなっていったのが、美術系のカタログや画集を編集する、編集者の阿部謙一「アニキ」だ。編集者らしく言葉に厳しくて、酔っぱらって話していても、「天下の宝刀？　松田くん！　それは伝家の宝刀のことかな？」とか、「ゴノウリョク？　それはゴイリョク（語彙力）と読みます……」と昔から、僕のあやしい日本語をマジで「いちいち」正してくれる。阿部さんは、同時に「カスのアニキ」でもある。カスに見慣れすぎていた僕に再度、「カスはオモロい」と、「大人になってもカスのままでいいんだ」と、僕に悪だか好だかわからない影響を及ぼしてくれた人でもある。酔ってボコられて顔面崩壊する、酔って全裸になる、酔って泣く。ヒョロヒョロガリガリの痩せ体型で、蹴ったら折れるどころかたぶん全身が壊れる。どこか死の匂いがする。多くのカスな尼人とも親和性が高いと思われる阿部さんが、僕は好きだ。そんな阿部さんを見てボソッと、「インテリの成れの果て」と言ったのは、もうひとりの愛すべき「カスのアニキ」、会田さんだ。

ついでに書けば、ふらっと入る「酒場」もいい。その場にいる客同士を仲良しにしてくれるカリスママスターがいる酒場はすごくいい。結局自分のコミュニティーや似た属性ばかりになってしまうスマホアプリの「タイムライン」から外れた出会いが、たくさんある。ふらっと入って、年齢や職業がバラバラな人たちと仲良くなるのはマジオススメする。

自分で「自分の可能性」を信じまくっている状態なら、「厳しいことを言ってくれるアニキ」もいいかもしれない。僕の初期の下ネタ作品群を見て、「こういう（下ネタ）作品を作っている人も、どうせ年齢とともに『ちんちん』の角度が下がってくれば、こういうの作らなくなるんだろう?」と、自分のまわりの芸術家の話を例に出しながら、渋～い顔で否定的な意見をくれたのは、宇治野宗輝「アニキ」。僕は反発というか、「おれのはメイド・イン・アマガサキで、ボンボンお芸術の『お』陰茎、『お』膣様とはわけが違うんじゃい!」なんて思って今までやってこれたから、ありがたい言葉だ。ちんちんの角度が下がってきた今現在でも無事、《ドゥ・ヴノン・ヌ? ク・ソンム・ヌ? ウ・アロン・ヌ?》（2020年）なんて作品で、元気に下ネタを発表している。この作品は、1年間都内を探し続けてやっと見つけたたった5つの「まんこマーク」の落書きを映像で記録し、編集で「しゃべらせて」いるビデオ作品だ。今では15年下ネタを続けた成果か、宇治野さんは「おまえの作品には『泣き』がある」なんて褒めてくれる。

まあ今までの僕の人生で、ただ一人だけ「アニキ」を挙げろと言われたならそれは、この本にもたびたび登場する、無人島プロダクションのオーナー、ギャラリストの藤城里香「アニキ」、というか「アネキ」になるだろう。僕は2007年くらいに、当時の無人島プロダクションにいた八木良太くん、Chim↑Pom、風間サチコさんたちと藤城さんとのパートナーシップや仕事ぶりに感動して、「藤城さんと仕事がしたい！」と思い、展覧会のプレゼンをしに、本当に何度も何度も無人島へ通った。断られてもめげずに、作品を作るたびに見てもらった。僕と藤城さんの年齢が、他のギャラリーのギャラリストに比べても近く、同じような感覚で話ができたのも、僕には大きかった。まあ、当時の僕は言葉足らずで情熱押し一辺倒のひどいプレゼンをしていたと思うが、それでも藤城さんは「シーンの入り口」になってくれた。

とはいえ、そこからすべてが順風満帆だったわけではない。無人島と仕事をするようになったばかりの2000年代後半から、藤城さんにはよく怒られたものだった。2009年の初個展でまったく作品が売れなかったとき、僕は深夜の居酒屋で泣きながら藤城さんに謝ったことがある。そしたら藤城さんに、「それは私の責任でもある！ 謝るんじゃねぇ！」ってめちゃくちゃ怒られ、深夜なのに目がシャキッとしたことを覚えている。他には、今でこそ僕はこんな文章などを書いているが、当時の僕の文章を読んだ藤城さんには、「松田くんの文章、意味わかんない！」とあしらわれ、話をしても、「松田くんの話、意味わかんない！」とくらって、最後には「ちゃんと、目の前の人に伝えようと思ってる？」ととどめを刺された。そのときは図星すぎて頭の中でベートーヴェンの「デデデデーン」が流れたし、今思い出しても当時の藤城さんが厳しすぎてちびりそう……だし、ちょっと笑ってしまう。怒るのもエネルギーがいるのだから、今現在でも怒ってくれる人を僕は、大事に思っている。決してマゾというわけではないが。

あと、僕が思う藤城さんの重要なところは、めっちゃ笑うところ。ガハハハッでもないフフフでもないオノマトペで表現しづらい豪快な笑い声で笑う。尼人としても、作品に「ユーモア」を投入する芸術家としても、大笑いしてくれる美術関係者はそんなにいないし、僕にとってはありがたい。制作するモチベーションが上がる。２０１２年の無人島での個展「ニコイチ！」のコンセプトは、僕の幼少期にうちのおとんが、「ベンツ買《こ》うてきたで〜」と、前がベンツで後ろがトヨタのマークⅡ、二つの車を合体させた「ニコイチ車」に乗って家に帰ってきたことをもとにしているのだが、その話を提案したときも藤城さんはまず、爆笑してくれた。

まとめると、自分に合った「アニキ」に出会えれば、めっちゃ成長できるという、書けば普通の話だが、僕のは実感が伴っている。そして逆にいえば、「合わない」人は「アニ

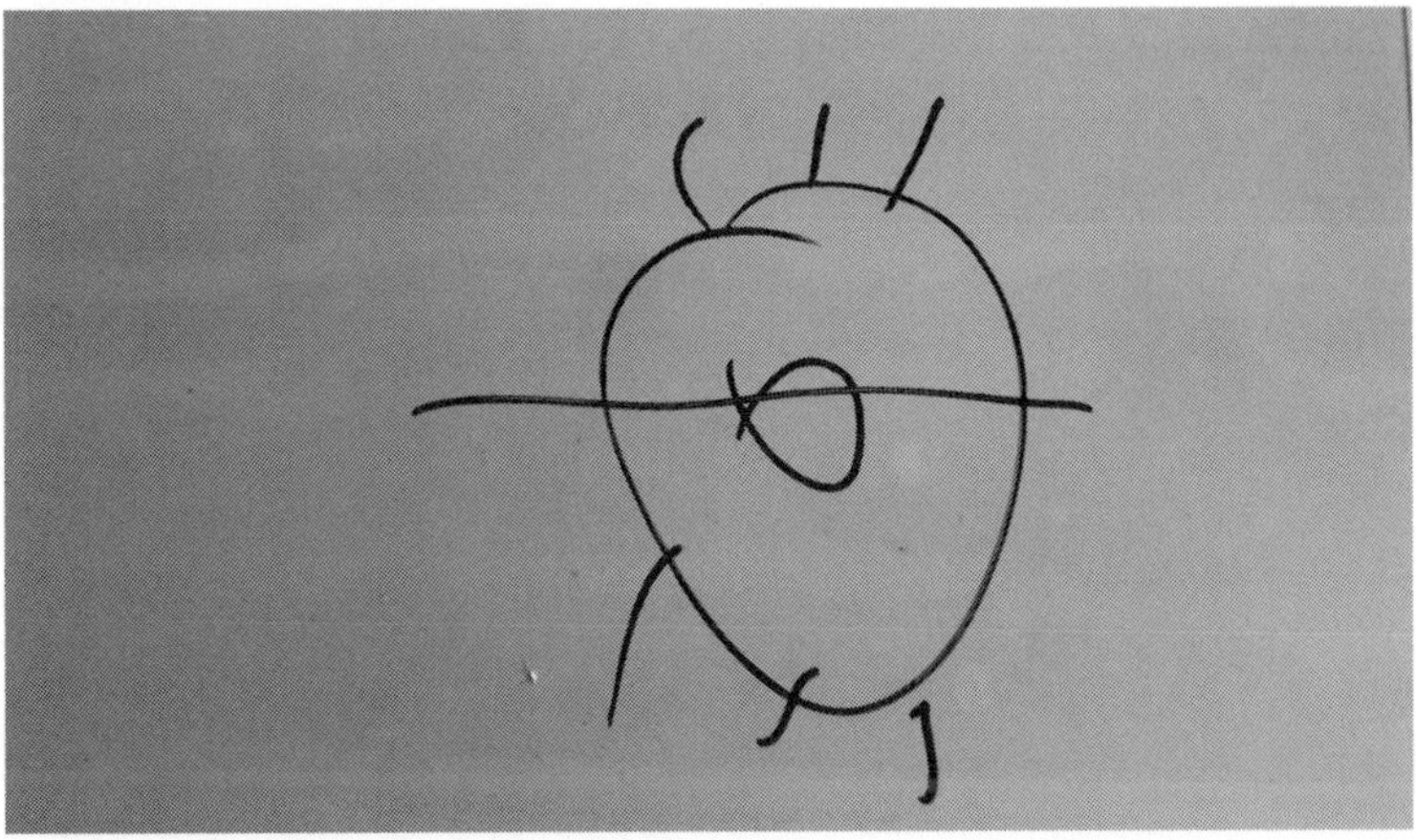

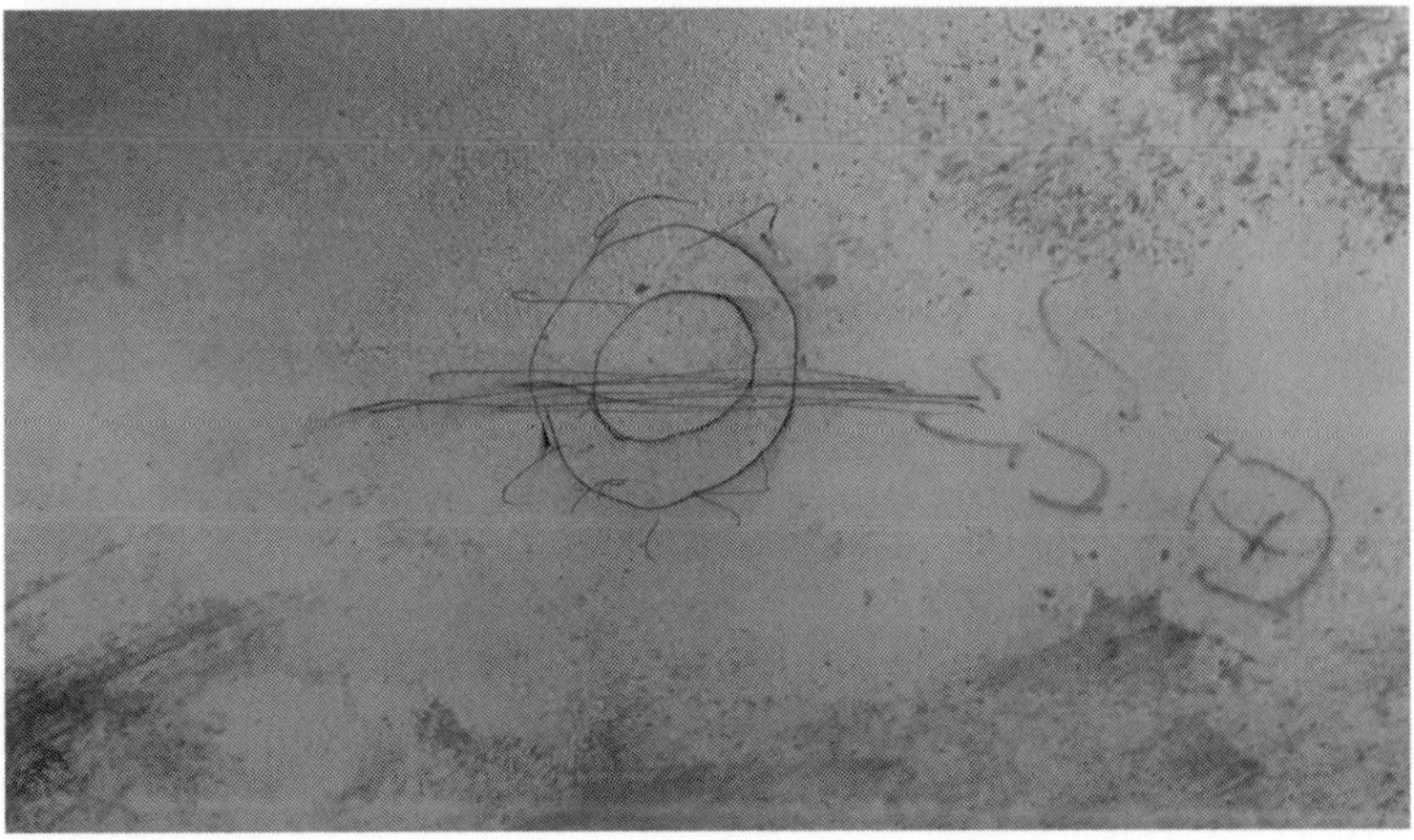

《ドゥ・ヴノン・ヌ？ ク・ソンム・ヌ？ ウ・アロン・ヌ？》2020年／ビデオ
都内で収集された「まんこマーク」は、ビデオ内で「私たちはどこから来たのか？ 私たちは何者か？ 私たちはどこへ行くのか？」と問う。

キ」になりえないから、距離をとってよしって話だと思う。「合えば」違う価値観すら自然に受け入れられるし、「合わなければ」延々と不毛な諍いが待っている。まあ、藤城さんの目線やアイディアは、芸術家ではなくギャラリストとしてのそれだから、僕だけでなく芸術家にとっては新鮮で、目から鱗の話が多い。その分意見の相違やケンカも多発するのだけど、ケンカがちゃんとできることが、「自分に合ったアニキ」なのだとも思う。そんなケンカはあったほうがいい。そんな感じで藤城さんと僕は、「お互い言いたいことは直接言う。自分に対しての不平不満が、自分で伝えるよりも他人から先に聞こえてくるようなことはしない」って約束をしている。無人島プロダクション流「姉弟の契り」だ。

年上ばかりを書いてきたが、僕には「年下のアニキ」たちも重要な存在だった。「松田さんはもう古い！」なんてイキって言ってくれることで、変化や進化を促されてきたから。新しい感覚を教えてくれるのはいつも、そういう「年下のアニキ」だった。

矛盾した言葉のようにも思える「年下のアニキ」からさらに広げると、自然や人間以外の動物、そのへんに落ちているゴミクズまで、何かを教えてくれる「人じゃないアニキ」だとも思えるから、やっぱり大事なのはアニキを見つける側、「自分の側」なのだと思う。今、「自分の可能性」を信じているかどうか。それでいうと、今の僕には「尼崎という街自体がアニキ」なのだが、そう思わせてくれたのは「芸術アニキ」だったのだと、あらためて実感する。

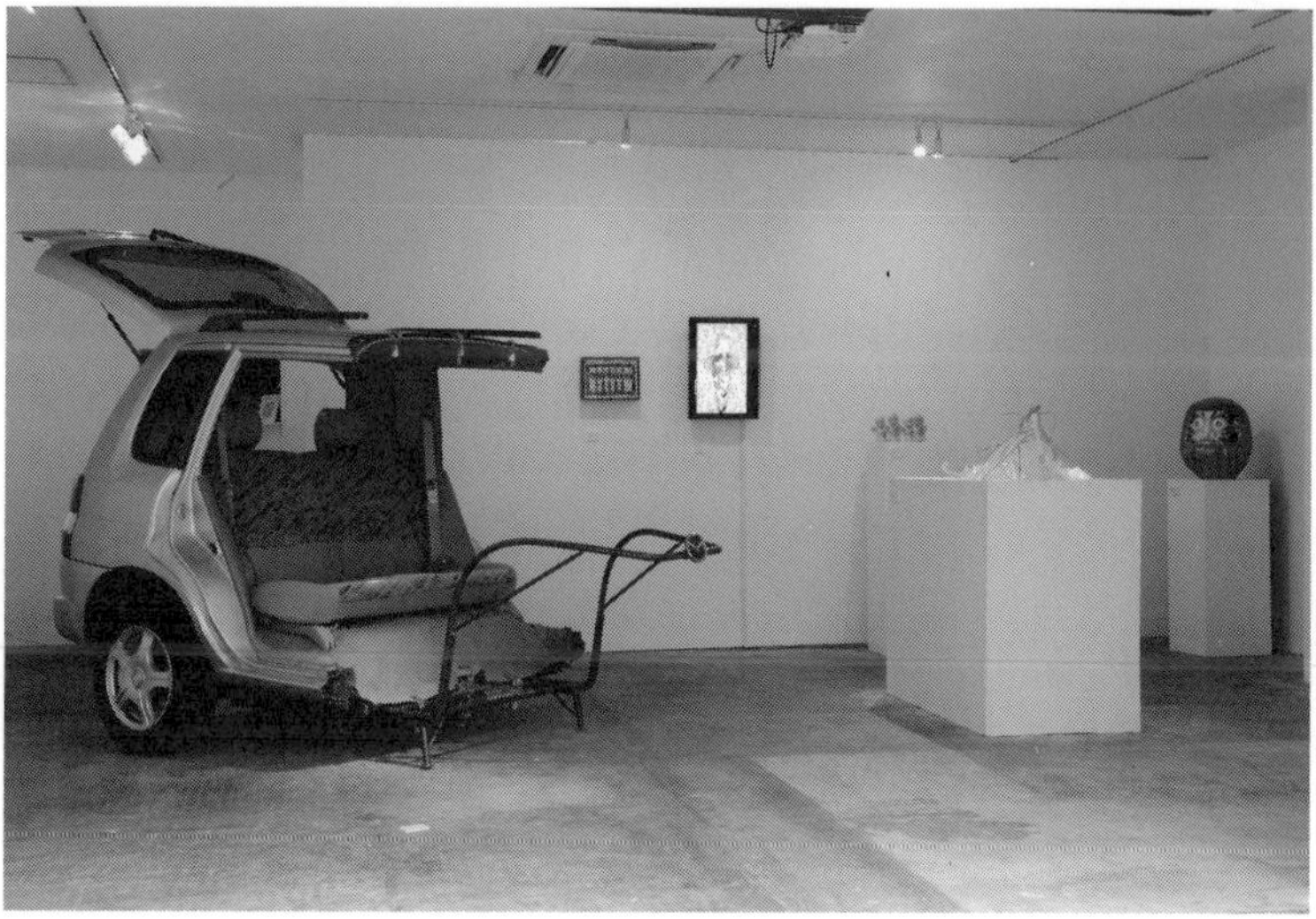

松田修展「ニコイチ！」（2012年、無人島プロダクション）展示風景
手前に見えるのは《マツダのニコイチカー》（2012年）。事故車と壊れたリアカーを「ニコイチ」し、一台のリアカーにしたもの。
写真＝朝海陽子

何も深刻じゃない

この「何も深刻じゃない」は、2015年にあった僕の個展につけたタイトルだ。この展覧会は、Chim↑Pomがキュレーションしてくれて、内容を一緒に考えてくれた。会場は高円寺にあるChim↑Pomのスタジオだった。偶然だが、僕が東京で初めて住んだ街、初めて個展をやった街、高円寺だ。上京して約15年、初個展から6年が経っていた。

僕の作品には、生まれや育ちの経験、つまり「尼の経験」が通底していることはこの本でも何度も書いてきたが、そのころはまだまだ、それをどうやって展覧会として説明すればいいか、僕にはつかめていなかったように思う。それを一緒に考えてくれ、なんならその説明を自ら買って出てくれたのが、Chim↑Pomだった。展覧会前の、ミーティングという名の呑み会の席では、「テーマは『国立から国立へ』だから！」と、卯城くんが笑いながら僕へ言っていたのを覚えている。

「国立から国立へ」とは、Chim↑Pomが僕へふざけてつけたキャッチフレーズで、僕が国立の少年鑑別所から国立の大学へ行ったということを揶揄している。それをテーマだからと卯城くんが念押ししてくるくらいには、この展覧会は僕の出自や生き方を、全開で押し出す展覧会だった。

そこで僕は、自分の生き方を表現する言葉として、「何も深刻じゃない」とタイトルをつけたのだった。一見楽観的に思えるこのタイトルだが、まあ本当に「深刻じゃない」と思っている人は、「何も深刻じゃない」なんてわざわざ口にしないだろう。毎日深刻だと思うからこそ、「何も」「深刻じゃない」と呪文のように唱えるはめになる。そして、深刻だと思うからこそ、平気な顔をするために、今日生きるために、ふざけまくるのだ。だから「何も深刻じゃない」展は、生きること自体がふざけることであるような展覧会となった。

「生きる＝ふざける」の公式は、多くの「尼人」にも当てはまるだろう。やっててよかった「クモン式」ならぬ、ふざけてよかった「アマガ式」……、そんな作品が並んだ。下ネタギャグ作品はもちろん、世間を自動で呪い続ける機械《無人呪詛装置むじのろくん》、シリアルキラーを謝らせるビデオ作品《ごめんなさい。》、死を茶化すパフォーマンス《リビング・メッセージ》などなど、当時のアマガ式作品が盛りだくさんだった。今現在はスッキリとした印象もある高円寺のChim↑Pomスタジオだが、当時はボロッボロで怪しい宗教施設のような様相だった。それも、アマガ式作品たちの魅力を増幅していたように思う。当時の僕は「何も深刻じゃない」展へ、こう寄せている。

「無常に感じる毎日も、世界で起こる数々の大問題も、フィクションぐらいに思えばよい。問題に対して知恵を絞りすぎ、首をしめていく節のある世界に対しては、愚鈍さで臨めばよい。現実を直視しすぎて狂うくらいなら、現実を離れて笑うほうがよい。僕が人生で学んだ全て。何も深刻じゃない。」

芸術のステートメント（宣言文）としてはポエティックで直情すぎる気もするが、僕は今もこう思っている。この世界が不完全だと感じている人には、生きづらさを抱えている人には、刺さると信じている。

ここで純尼崎産の、「何も深刻じゃない」話を書いておく。「深刻だった」阪神・淡路大震災のときの話だ。実はおかんから他言することを固く禁じられてきた話だが、もう時効だろう。解禁する。1995年1月17日。「朝もはよから」過ぎる、5時46分。淡路島北部を震源とする、マグニチュード7・3の大地震が発生した。尼崎市域は推定震度6だったという。僕は受験を控える中学生だった。

ごおおおん！

めっちゃ揺れた。もちろん僕ら家族は全員寝ていて、僕は正直何が起こったのかもわからなかった。当時「震災」なんて、頭の片隅の隅にもなかったから。そんななかおかんがまず、「あかぁああん！」って飛び起きて叫んだのを覚えている。もしかしたら、おかんには前日の酒がまだ残っていて、僕らより眠りが浅かったのかもしれない…………。長

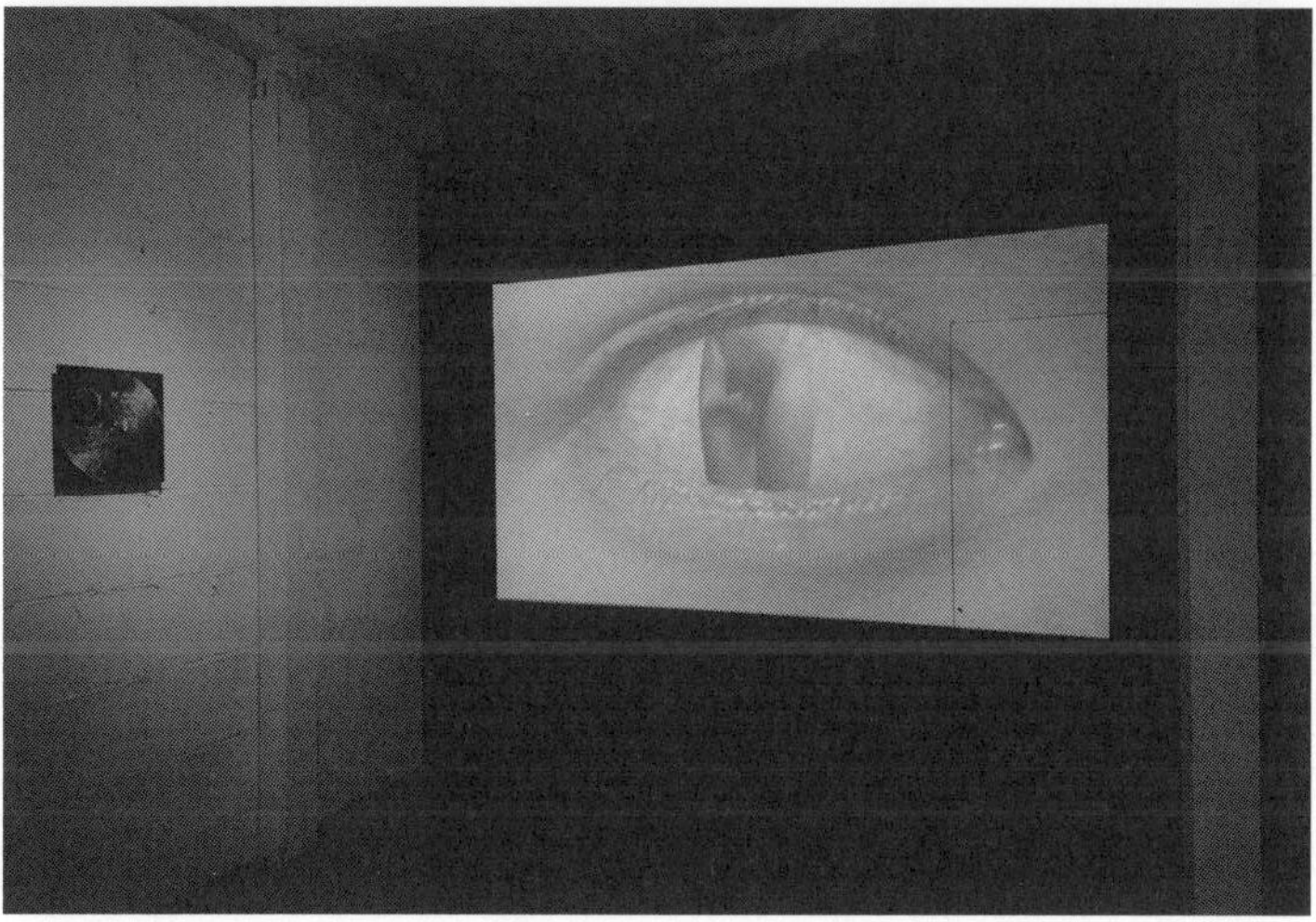

上・《無人呪詛装置むじのろくん》2015年／ミクストメディア

下・《拝啓、宇宙人様〜ボイジャーのゴールデンレコード追加案〜》2015年／
ビデオ、ジークレープリントをアクリルマウント

上は無人で呪い続ける装置、下は宇宙人へ「人間はアホですよ」と伝える提案。どちらも厳しい現実を離れてふざけまくっている「アマガ式」。

写真＝井手康郎

い間揺れていた気がする。皿が割れる音、積んであったものが崩れる音、家そのものの軋み。まわりすべての物が壊れる気配がした。そのうち、半覚醒状態どころか三分の一覚醒状態のぼんやりした僕でも、大地震を認識できた。しかし僕は怖いよりも眠くて、そのまま起きることなく布団の中で小さくなった。揺れが収まってすぐ、おかんが「外、出るでぇ！」と叫びつつ布団ごと僕ら兄弟を蹴りつけてきた。蹴られて開いた目を、もう一度瞑《つむ》る前にまわりが見えた。ただでさえボロのゴミ屋敷だった我が家は、巨人に両手でシェイクされたように、家ごとゴミになっていた。信じられないことに、僕はそのあともう30分くらい寝た。こんなときでも僕は眠気に勝てなかった。今思えば、その後の僕の「留年人生」を暗示している。再びの眠りに落ちながら、おかんが点かない電灯のひもをカチカチカチカチしているのが聞こえた。

「アホ！　いつまで寝てんねん！」

一度目の蹴りから30分後に、僕はおかんにもう一度蹴りつけられ、ようやく起き上がった。布団の上にはなにかしらが散乱していて、起き上がるのにいつもより少しだけ労力を使った。寒い。窓ガラスが全部割れていた。いつもはつけっ放しのテレビはもちろん、電灯も点いていないから家の中はどこも薄暗かった。もともと床があまり見えないほど散らかった我が家だったが、「散らかり」は重層化し、床に足の裏が着くのは不可能に思えた。のり弁なら豪華デラックスバージョンだ。それでも僕は意外に冷静で、特に慌てることなどなく、ぐっちゃぐちゃの家の中からジャージやトレーナーを探し出し、ぼうっとしながら上着を着た。その間、点かない電灯のひもでカチカチ遊んでいたいちばん下の弟が、「やめれアホ!」とおばあに頭をどつかれていた。

僕が二度寝していた間、おかんは外と家をせわしなく往復して、情報をつかもうと必死になっていたようだった。僕を2回目の蹴りで起こした後も、すぐに家を出ていった。開店して1年くらいの「スナック太平洋」のことも心配だっただろう。おばあは、そんなおかんから指示があったのか、家の留守番兼片づけのリーダーになっていた。余震が続きまくっていたが、くじけず役目を果たそうとしていた。弟二人は僕と同じく眠そうだったが、そんなおばあを手伝っていた。僕はWindows95のごとく、まだまだ頭の中が起動せず、それらをただ眺めていた。おとんは「いつもどおり」家にいなかった。今だったら僕は、1回目のおかんの蹴りで飛び起き、パソコンとか自分の作品とか、ぐっちゃぐちゃな中から「大事なもの」を必死で探したりしていたかもしれない。でも当時の僕にそんなものはなかった。

あらゆるサイレンの音が、外から聞こえてきていた。

「これ、家のどこの部品やねん!」なんて、崩れた家の「鉄のなにか」でキャッキャ遊んでいた末弟が、「そんなんで遊ぶな」と再びおばあにどつかれるのを見届けたあと、僕はオンボロなりによく耐えたドアを開け、家から一人で外に出た。家が崩れる恐怖心からではなくて、おばあに片づけを指示されたり、おかんになんか頼まれたりするのがめんどくさかったからだ。そして、サイレンが誘惑する、外への好奇心があったのだった。外にはまだ6時台なのにもかかわらず、人がたくさんいた。裸足のまま出ている人もいた。

外から見る我が家は、窓ガラスが全部割れていても、一応マシに思えた。少し見渡しただけでも、もっとえぐい壊れ方をしている、というか潰れかかった建物が目に入ったからだ。まわりを歩いて、その思いは増していった。道路はところどころ隆起し、ひび割れまくっていた。傾いた電信柱や街灯も何本かあったし、バッキバキに折れた街路樹も見た。歩きながら、「うちはぜんぜんいけるやん。あれよりもいけるやん」と、壊れた建物を見るたびにそう思った。僕の記憶では、中身はうちと同じでエグかっただろうけど、オンボロでも平屋は比較的無事だったように思う。

散策最中にも余震があった。弱い揺ればかりだったが、揺れるたびに誰かの「キャー」が聞こえた。いろんなサイレンはずっと鳴り続けていた。空気はどこか埃っぽかった。「今やったらダイエーの菓子とかパチンコ屋の景品とか、パクり放題なんちゃうか」と、少し状況に慣れてきた僕はそんなカスっぽいことばかり考えて、歩き続けた。道中顔見知りのオバチャンに会い、「どえらいことになったなあ……、みんな大丈夫？」と話しかけられた。しかし、しばらく会話を交わしたはずだが、内容はほとんど覚えていない。僕は会話より、オバチャンのダサすぎる紫とピンクのひらひらしたパジャマが気になっていた。オバチャンとの別れ際に、「後から家が崩れたりもするから、外におるようにってお かあさんに言うときや〜」と言われたことだけは覚えている。家の片づけをしないで済む口実が見つかったことが、うれしかったからだ。

僕はこの散策中、オバチャンの他にもたくさんの人が寒いなか寝間着のまま外にいたのを見た。防災カバンなんて持っている人は一人もいなかった。そのくらい、関西全域で「寝耳に水」の震災だったんだと思う。ハデに倒壊して「手抜き工事」と噂された阪神高速道路の高架橋も、当時は「耐震強度」を満たしていたらしい。

僕は、家や街やこれからのことよりも、「公的に」学校が休みになることが、めちゃくちゃうれしかった。そんなだから、今現在の僕は、世界中の災害などのニュースを見るたびに、「僕のような子供」を想像する。

家に戻ると家族全員が外に出ていた。すでに近所からのアドバイスがあり、家の中での片づけは中断されたようだった。戻った僕を見ておかんは、トイレは「小」なら外で、「大」は我慢できなかったら家の中のトイレ使用を許可するという「おふれ」を家族へ出した。電気はまだ復旧していなかったが水は出た。下水道とガスのことは覚えていない。おふれ布告のあとにはおばあから、苦労して見つけたであろう歯ブラシを渡され、いつもはめんどくさくてほとんどしない歯磨きを外でした。その途中、「あっ」と気づいて、「おばあ、入れ歯は見つかったん?」と聞くと、おばあが黙したまま「ニッ」と口の中の入れ歯を見せてきたことを覚えている。得意げな顔で、思い出すと笑える。

「食事がもらえるらしいから、おばあを連れて避難所に行きなさい」

歯磨きが終わるころ、おかんからそう言われた。行ったのはたぶん「食事がもらえる」のが大きかったんだと僕は思っている。

おばあと僕と弟二人、副将軍でもなんでもないボケた「尼のご老公」一行は、おかんの指示のあとすぐに避難所に向かった。場所は、ある学校の体育館だった。「どこの」とかは触れないでおく。手持ちにいろいろ持たされた記憶があるが、何が入っていたのかは知らない。今考えるとおばあの介護グッズだったのかもしれない。向かっている道中、崩れかかった建物を見るたびに、すでに見慣れてしまった僕以外の誰かしらが反応していた。おばあは不安を吐露し、弟二人は「スゲー」と無邪気にはしゃいでいた。しかし、誰でもそうなるのか、尼人ゆえに順応が早いのか、そのうち誰も反応しなくなっていった。後から知る「液状化現象」だろう、地面が「めげて」ズブズブドロドロになっているのも、このときに見た。そんな状況でも僕は、倒れた看板や自販機などを見かけるたびに、その下の小銭を拝借してまわった。おばあに毎回「やめれ！」と怒られながらだが。

この日いちばんの余震はこの道中にあり、おばあは「アカン！」と身をかがめたが、いちばん下の弟はこのときも変わらずキャッキャと楽しんでいるようだった。こいつは「うっかり八兵衛」役だから仕方がない。

そして、あとから知ることになるので僕は「現場」を見ていないのだが、僕らが避難所に向かったあと、家の近くでは何件もボヤ騒ぎがあったらしい。我が家も少し燃えたのだった。尼崎での火事だと立花のほうの大火事が有名だが、一連のボヤ騒ぎは、本震があってだいぶ経ってからのことだったから、「誰か火ぃ着けたんとちゃうか？　燃えたほうがええもんがあったんやろ。借金の手形とか……」なんていろんな人が噂をしていた。他にも火元は、熱帯魚のヒーター説、点かないのにガス台のレバーを回しまくったオバチャン説なども聞いたが、僕に真相はわからない。

震災では、火事以外でも真偽不明の噂が出回りまくるのを体験した。「口から先に生まれてきた」なんていわれるおしゃべりが多い尼だが、このときは特に、みんな過剰にペチャクチャしゃべりまくっていた。特に大人はそれが顕著だった気がする。逆境に強いさすがの尼人たちも、不安や恐怖を解消するためにそうしていたんだと、今なら思える。

避難所に到着したのは朝8時過ぎだろうか。着いたときには人はまばらだった。その「まばら」はすでに酒盛りを始めていた。この日一日、避難所の人の出入りは激しかったが、多くて百人くらいいたかなあというのが僕の印象だ。最初から最後まで、「酒盛り人」以外のオバチャンやオッチャンが布団を用意したり、あくせく働いていた。避難所である体育館は、広くも狭くもなかった。バスケットボールのコートがギリ二つくらいといえば、伝わるだろうか。全部ではなかったが、窓ガラスが何枚か割れていて、段ボールでふさがれていた。僕らが到着したときに電灯が点いていたかは覚えていないが、気がついたときには点いていた。暗かった記憶はない。まあとにかく寒かった記憶があるから、ストーブなどの暖房はなかったと思う。避難所ではずっと、みんなが震災に関するラジオを聞いていて、昼過ぎにデカいテレビが持ち込まれた後は、その前に常に人だかりができていた。ずっと誰かが聞いてはしゃべり、見てはしゃべりしていた。ニュース以外が見たいと、子供は全員が思っていたと思う。

しかし退屈だったかと言われればそうでもなく、僕はとにかく友達と会えて楽しかった。することは限られていたが、友達としゃべったり、持ち込まれた雑誌やマンガを読んだり、眠くなったら寝たりして過ごした。友達のなかにはやはり退屈だったのか、それとも好奇心からか、街の様子をときどき見に行ったりするやつもいたが、僕は残って「休日」を満喫していた。悲壮感はゼロだ。夕方にはいつも疲れ顔のおかんが、いつもよりさらに疲れた顔で合流した。

食事関係でいえば、避難所では昼と夕方に、パンが支給されていた。このパンは、国とか自治体からではなく、おそらく誰かの善意の差し入れだったのではないかと、おかんから後で聞いた。そんな、愛に溢れていたかもしれない「支給パン」は、毎回すべて「あんぱん」だった。当然文句などないが、僕は夕方のを食べなかった。友達や近所のオバチャンにもらったスナック菓子で腹を満たした。この避難所に人が大勢押し寄せなかった原因は、所内が寒い以上に支給されるのが「あんぱん」だけってところにあったのかもしれない。水はといえば、当時はまだペットボトルのミネラルウォーターなどめずらしい時代で、支給された記憶はない。代わりにやかんや、部活なんかで見かけるウオータータンクが端に並んでいて、水やお茶が自由に飲めた。そういえば僕は、夕方の「あんぱん」のときに、赤ら顔の知らないオッチャンが言っていたことが忘れられない。そのオッチャンはあんぱんをもぐもぐ口にしながら、「震源地が近くても家がびくともせんでぇ、今日も普通に高級ステーキ食べてるやつは食べてるんやろなア〜」と言っていた。それからこの言葉はずっと僕の頭に残っていて、上層中層下層と、自分の「三段腹」を階級社会に見立てたパフォーマンスビデオ、《この世界を腹隅で》（2017年）に使った。そのオッチャン以外も、続々と集まる大人はほとんど全員酒を呑み、地震について興奮気味に話していた。

「いつものちいちゃい地震はヨコ揺れやんか？　今日のはタテ揺れやったもんなア？」

「神戸はほんまあかんことになってるらしいで」

「なんで東京じゃないねん！」

基本マンガに夢中だった僕も、大人たちがそんな会話をしていたのは覚えている。

夜。はっきりと何時かは覚えてないが、まだ避難所の消灯はしていなかったと思う。さすがにマンガにも飽きて、僕は避難所の外、校庭やグラウンドをぶらついていた。すると、「日常」ではヤンキーがたまっているであろう体育館裏、つまり避難所裏にはヤンキーではなく酒でラリったオッチャンらがたくさんたまっていて、なんだかピーピー楽しそうにしていた。僕はそれを発見し、のぞきに行った。

そこでは、ストリップショーが始まっていた。懐中電灯やペンライトに照らされながら、踊り子が上半身裸で楽しそうに踊っていた。音楽は、僕の知らない昭和歌謡みたいな曲を、オッチャンらみんなで合唱していた。踊り子はその中心で、「今日はサービスやでぇ〜！」なんて言いながら、オッパイをブルンブルン、ケツをプリンプリンさせていた。多少記憶の改ざんがあるかもしれないが、年齢不詳のオネエチャンは全身がキラキラしていて、目の瞬きすらエロそうに思えた。僕の辞書の「妖艶」の項には、このオネエチャンがいる。そんな踊り子が履いているTバックには千円札がたくさん挟まっていて、たまに、「オネエチャン、ほんまおおきに！」と、いつもより1オクターブ高い声を出すオッチャンらが、さらに札を挟んでいた。一万円札じゃないのがどうにも尼らしいが、オッチャンら全員、本当に楽しそうだった。泣きそうな顔で拝んでいる人もいた。最前列では、何人かのラリりすぎたオッチャンがオナニーをしていた。

ストリップや酒盛りがいつまで続いていたか、僕の記憶はここでもはっきりしていない。消灯しても、雑魚寝状態だったからか避難所内はざわざわいつまでも騒々しくて、誰かがたまにキレたりしていたのはなんとなく覚えている。そのたびに誰かが、「カルシウム足りてへんのとちゃうかぁー！」なんて大きな声で突っ込んで笑いを取ろうとしていたが、全員「すべっていた」。僕はストリップの「社会見学」を終え、いつもより早く寝床についた。もっと起きていたかったが、まわりからの早く寝ろプレッシャーに負けたのだった。そしていつもより上等な布団にくるまれながら、僕は眠りに落ちるまでの間にストリップ嬢の揺れるオッパイを思い出して、股間をムズムズさせていた。しかし誘惑に打ち勝ち、ムズムズさせながらも何もせず、いつもよりしっかりと寝た。

次の日。午前中避難所に、テレビかなんかの取材が来ていた。ものめずらしさもあって、僕は興味深くそれを眺めていた。よくよく見ると取材を受けていたのは、例のストリップの最前列でオナニーをしていたオッチャンだった。僕はオモロそうだったので、その内容を聞きに近寄った。

「昨晩はどんなご様子でしたか?」そんな質問に対しオッチャンは、「昨日は不安で不安で……、ぜんぜん眠れませんでした……」なんて世界一憔悴しきった様子で答えた。

(嘘つけぇ! オマエがげっそりしとんのはヌキすぎたからやんけ!)

口に出さずとも、昨日のオッチャンの様子を知る全員が、そう思っただろう。記者の同情交じりの深い頷きが爆笑を誘うが、僕もまわりもしんみりとしていた空気を読んで、その場は耐えた。後で、「あのオッチャン名優すぎやろ!」って友達と一緒に爆笑した。しかし、おかんにそのことを笑い話として話したら、「それ、絶対誰にも言うたらあかんで! 誰も援助してくれんくなるわ!」と、固く口止めされた。結局、おとんを除く「僕ら家族全員」が避難所にいたのは、この日の夕方までだった。避難所は続いていたようだが、僕ら家族はその後バラバラに友達や知り合いの家に泊まったりして、2、3日したら全員家に戻った。たぶん僕らは尼の「標準的な被災者」で、ぜんぜんマシなほうなのだと思う。しかし「あの日」、つらかった人はつらかっただろう。しんどい人は、本当にしんどかったはずだ。でも、少なくとも子供だった僕の前で、そんな態度をはっきり見せた大人は一人もいなかった。

震災から30年近くが経ち、駅が象徴するように、いろんな建物が新しくなった。三和の商店街のほうは震災くらいからシャッターで閉まっているところが増え、尼崎全体でもチェーン店が増えた。あのグズグズ地面の上にはタワーマンションも建った。JRの尼崎駅前に「キューズモール」ができてからは、「わりかし」治安もよくなったと、おかんは言っていた。消えはせずとも、スラムのような場所は市内で徐々になくなっている。きっと、あのストリップ嬢はとっくに引退してオバアチャンのはずだし、あのオナニーのオッチャンはもうこの世にいないだろう。けど僕は、あのときのストリップ嬢もオッチャンも、今でもあのままの感じで、尼のどこかに「いてる」気がしている。世界が深刻じゃなくなるように、ストリップ嬢は踊り、オッチャンはシコり続けている気がする。

尼崎が高級住宅地化、観光地化する一方で、日本全体では経済的な格差が広がり、貧困で苦しむ家庭も増えているのだという。僕の体験でも、今の初任給を誰かしらに聞けば、僕のトラック運転手時代と比べて「やっす！」と思うことは多い。なんなら、東京の繁華街を歩けば、怖いニイチャンオッチャンや立ちんぼ、風俗嬢などの「オールドスクール」な人たちと、無邪気な小学生たちが交差する風景が増えている気もするから、日本全体でも「スラム化」が進んでいるのかもしれない。全体では、「あんときの」尼崎に向かっているのかもしれない。超危険でハードスラムな「密集地帯」がなくなる代わりに、昔よりは安全でライトスラムな「広域地帯」が増えているようにも思える。このまま低賃金な上に劣悪な環境で移民を呼び込むなら、その傾向は強まるのだろう。でもまあ、全日本「あんときの」尼崎化なら、なんだか楽しそうだと思ってしまう僕もいる。

しかし経済的貧困は本当にエグい。僕は貧困の連鎖を身をもって知っている。なにしろ一族に金がないだけでなく、情報がない。生きる選択肢が少ない。たくさんの選択肢が「あった」のだと気づくのが三十代では、遅かったりする。「いまだに」尼崎に住む僕の友達は、三才の自分の息子を金持ちＡ１級競艇選手にするべく、段ボール仕立ての手作りモーターボートを与えて、貧困脱出の英才教育を行っている。三才児が段ボールボート上で行うモンキーターンは、かわいくて笑えて、そして泣ける。これが何代続くのか。

で、そんな尼人にこそ、そしてこれから全国で大量発生するかもしれない尼人的な人たちにこそ、僕は「芸術を始める」ことをおすすめしたい。芸術を始めれば、「経済的な」貧困脱出の道にはならないかもしれないが、「精神的な」貧困脱出が可能だ。三十すぎどころか四十すぎからでも始められる。書くでも描くでも、作るかたちはなんでもいい。初めは観て考えるだけでもいい。今なら、何千年も金持ち貴族の「美意識」中心で成り立ってきたシーンだから、貧乏尼人たちの「美意識」の枠には余白しかない。やりたい放題だ。ただし、続いてきた「歴史ある貴族の美意識」には同化できないから孤独だし、逆境もある。

なにしろ僕らの常識はボンボンの非常識。僕らの日常は、ボンボンの非日常だ。僕ら尼人は、芸術界における外来種なのだ。だから尼人が作るようなものはほとんどの場合、「共感」が得づらい。その最大の要因は……、僕らのことをただただ世間が知らないだけかもしれない。僕ら尼人の姿は見えない。特に今なんて、配慮という名の「検閲」によって、風俗街などのエグい貧困事情がテレビに、新聞に、その他すべての大きなメディアのトップであつかわれることはない。だからこそ「僕ら」がやらなければ、美術の歴史に残らないどころか、誰にも知られることなく、「僕ら」は永久に透明人間で終わってしまうのだ。

しかし基本的には、みんなが知らない「現実」を知っているのが尼人なのだから、恐れず、みんなに教えてあげるように、上から目線でやればいい。「下」育ちの尼人が、「上」から物を言えたりするのも芸術のオモロいところなのだ。「今の日本に売春街って……、大げさですね。そんなのあるんですか?」って、僕に直接言い放つようなバカもいるには

《この世界を腹隅で》2017年／ビデオ
自らの三段腹を、三階層の階級社会に見立て、その生活を説明する「パフォーマンス」ビデオ。
下層の、「土地が悪い」というモデルになっている土地は、尼崎である。

いる。しかしそんな人ばかりでもない。やる側もお客さんもボンボンばかりだが、頭までボンボンの人ばかりでもない。だから今、僕がいるのだ。

そして、尼人話を文化全般に広げると、本当に「何も深刻じゃなくなる」。僕がいるなんて騒ぎじゃなくて、尼人は文字どおり天下を取りまくっているのだ。日本の文化はすでに多くの尼人によってできている。

なんといっても尼の「現人神」、ダウンタウンがそれだ。彼らの目的のひとつだったであろう貧乏脱出も、異次元級に達成している。「持たざるもの」からしゃべくり一つで成り上がった天才漫才コンビ。松ちゃん浜ちゃんの仕草や態度は尼人のそれに見えるから、二人の影響力をかんがみても、日本がもうどれだけ尼化してきたかは計り知れない。

もう一人挙げるとしたら、「阪尼」の人たちは、商店街でも見かけまくる『忍たま乱太郎』の尼子騒兵衛を挙げるかもしれないし、全国的には鬼才・中島らものファンも多いと想像できる。芸人にも俳優にも漫画家にも……本当に多くの尼人がいるが、僕はこの本を書きながら知った、成田亨を挙げたい。ウルトラマンや多くの怪獣をデザインしたスーパーデザイナーだ。成田亨も尼崎に住んでいた「尼人」だ。なんていうと生まれとされる「神戸人」にイチャモンをつけられそうだが、左手に障がいがあった成田は、幼少期のつらいとき、尼崎側から武庫川を眺め、気を落ち着かせていたという。僕はその美談化されたネット記事を読んで、ホームレスだらけのドブ川だった武庫川を思い出し、笑ってしまったが。

そんなパイセンたちの作品の共通点を、僕があえて挙げるならば、「孤高」という言葉が頭に浮かぶ。やっぱりというか、世間が共感を覚えるようなものよりも、むしろ反感を買うもののほうが多いとすら感じる。「今はわからんくても、あとから時代が私に追いついてくるんじゃ！」とでもいうような。だからか人柄を調べると一クセも二クセもある人ばかりだから、笑ってしまう。一般的な倫理観や価値観に配慮も遠慮もしないような「ヤバいもん」も多いから、僕も表現者として勇気をもらえる。変な街の変な価値観の人間に囲まれて育てば、変な表現者になるのは自明のことなのだ。パイセンたちの「残していたもの」は、そう語っている気がする。

尼人たちへの芸術のお誘いはほとんど書き終わった。しかし、最後にひとつ気になることがある。本の最初のほうにも書いたが、尼の原住民ことおかんは、この本を通して芸術や芸術家をわかってくれたのか？ということだ。少しだけでも、まだ「わからへん」と言いそうなおかんへ、ダメ押しも含めて書いておきたい。「おまえはもう、『芸術』を体験している」と。

僕は芸術にはある種のダイナミズムが必要だと思っていて、おかんはもうそんなダイナミズムを「体験済み」なのだ。超絶困難ななかでめちゃくちゃ笑ったり、エゲツないほど苦しいことを楽しんだり。そんな「尼人の暮らし」は、ダイナミズムの連続だ。なんなら、超マイナスをめっちゃプラスに変える名人として、ダイナミズム・ジェットコースターに乗ってきたのがおかんだ。だから「太平洋」でオッチャンのゲロまみれになっていた椅子が、美術館に展示されたりすることになる。

批評家の黒嵜想さんが僕の仕事を「スラムからの福祉」と評してくれたことがある。貧困層の流儀や価値観、生き方を見て、それよりも上の社会階層の人たちが「元気になったり」するならば、それは正に「スラムからの福祉」だと。福祉は上から下へ行われるだけではない、と。そしておかんは「スナック太平洋」で、毎日それを行っていた。そんな地獄と天国を結ぶような所業にはダイナミズムがあり、それはめちゃくちゃ「芸術」だ。この本はそんな芸術の、血筋や人種などといった縛りを超えた、僕ら尼人という文化的アイデンティティーを示す本でもある。そして、それを作品として残そうとするのが「芸術家」の仕事なのだ。

書ききった。もう僕に悔いはない。おかんは、

「言えば言うほど詐欺やんけ！」

といじってくるだろうが、笑ってくれるはずだ。

松田 修（まつだ・おさむ）

1979年生まれ。兵庫県尼崎市出身。2009年、東京藝術大学大学院美術研究科修了。社会に潜む問題や現象、風俗をモチーフに、映像、立体、絵画とジャンルを問わず様々な技法や素材を駆使し、社会に沈潜する多様な問題を浮上させる作品を制作している。主な個展に「こんなはずじゃない」（無人島プロダクション、2020年）。主なグループ展に「六本木クロッシング2022展：往来オーライ！」（森美術館、2022年）、「居場所はどこにある？」（東京藝術大学大学美術館陳列館、2021年）。著書に『公の時代』（朝日出版社、卯城竜太との共著）がある。

本文図版　Courtesy of the artist and MUJIN-TO Production

協力　無人島プロダクション

編集協力　木村奈緒

尼人
二〇二三年四月二二日　初版第一刷発行
著者　松田 修
編集発行人　穂原俊二
発行所　株式会社イースト・プレス
〒一〇一-〇〇五一
東京都千代田区神田神保町二-四-七 久月神田ビル
電話〇三-五二一三-四七〇〇
ファクス〇三-五二一三-四七〇一
https://www.eastpress.co.jp
印刷所　中央精版印刷株式会社

ISBN 978-4-7816-2066-4 C0095